김윤서 드림.

항상 행복하세요 ~ 윤

영원히 아름다운 향기로 남을

_____님께

_____드림

비로소 행복한 여자
A Happy Woman at Last

말린꽃 澌永花

말린꽃
漣永花

Dried flower

Dried Flower

A Happy Woman at Last
비로소 행복한 여자

프롤로그

　비행 중 일반석에서 외국인 승객이 갑자기 쓰러졌다. 전 승무원이 환자가 발생한 사실을 공유하고 의료장비를 준비해 환자 승객에게 모여들었다. 부팀장님께서 신속하게 환자를 케어하고 다른 승무원들은 주변 승객들이 동요하지 않도록 조치를 하는 동안 팀장님께서 연락을 받고 오셨다.

　좁은 기내 통로에 의료장비를 준비하는 승무원과, 승객을 케어 중인 승무원들이 길을 막고 있는 바람에 멀찍이서 승객 상황을 주시하시던 팀장님은 다른 승객들에게 불편을 주지 않기 위해 조용한 목소리로 앞에 있는 승무원에게

　"승객 **일어나실 수** 있는지 물어봐 주세요." 하셨다.

　줄줄이 서 있던 승무원들이 가족오락관의 한 장면처럼 앞에 있는 승무원에게 전달하고 전달하여 부팀장님까지 지령이 이르렀고 부팀장님께서는 승객을 흔들어 깨우며 외치셨다.

"Can you speak Japanese? Can you speak Japanese?"

'일어나실 수 있나' 여쭤보라 했던 지령이 승무원들을 거치고 거쳐 '일어 하실 수 있나' 여쭤보라는 지령으로 바뀐 것이다. 승무원들은 부팀장님의 외침에 웃음을 눌러 참으려 콧구멍에 힘을 주고 하늘 위에서 보일 리 없는 먼 산을 찾아 헤매야 했다.

산다는 게 뭔가 싶을 때면 나는 이 에피소드가 생각난다. 비행기는 순항 중일지라도 그 안에서 수많은 이례적 상황이 발생하고 우리는 그에 따라 의료인이 되기도 하고 소방관, 혹은 경찰이 되기도 하며 돌발 상황에 대처한다. 그리고 어려운 상황에도 매번 나와 함께 해주는 동료들이 있어 혼자 모든 걸 짊어지는 비행은 없다. 가끔은 심장이 쿵쾅거리도록 나를 두렵게 하는 돌발 상황이 발생하기도 하지만 그런 중에도 우리를 웃게 하는 것들이 곳곳에 존재한다. 힘들기만 한 순간은 없다. 미처 내가 발견하지 못했다 할지라도 우리를 잠시나마 숨 고르게 하는 무언가가 인생 곳곳에서 우리를 기다린다.

아버지의 사업이 망해 구치소에 수감되어 빚더미에 앉고, 그 와중에 친할아버지가 돌아가셔서 상주인 아버지 없이 쓸쓸한 장례를 치렀다.

일본 비행을 가기 위해 비행기에 들어서던 중 본가인 광주에서 새엄마와 이복남동생의 교통사고 소식을 전하는 간호사의 전화를 받았다. 간호사는 너무나 담담한 목소리로 마치 오늘 날씨가 좀 흐렸다는 말을 하듯 무심하게 폐에 피가 많이 차올라 생명에 지장이 있을 수 있는 상황이라는 말을 전했고, 아버지는 여전히 구치소에 있어, 수술 동의를 할 수 있는 유일한 가족이던 나는 인천공항에서 전화를 받고 있었다. 비행을 포기하고 본가로 향하며 사는 게 뭐이리 어처구니없이 힘들 수 있나 어이가 없어 눈물조차 나지 않았고 머리가 지끈지끈 아파왔다.

아버지 재판을 위한 비용과 새엄마와 남동생들의 생활비까지, 온 몸이 뜨끈해지도록 비루해질지언정 주변에 손을 벌려서라도 최선을 다했지만 결국 내가 감당할 수 없는 지경에 이르러 이제 더 이상 방법이 없다며 아버지에게 무너져 빌었고, 아버지는 구치소 안에서 온갖 입에 담지 못할 욕설을 담은 편지를 나에게 보내왔다. 아버지에게 태어나 처음 받아 본 편지였다. 그리고 나는 스스로 고아가 될 것을 선택했다.

이 모든 일을 겪었다고 하여 내가 마냥 쓰러져 울며 지내기만 한 것은 아니다. 나는 전 세계 도시의 아름다움을 온전히 받아들이며 감탄했고 집 앞을 노랗게 물들인 은행나무를 잠시 서서 바라보며 깊은 숨을 내쉬기도 했다.

서비스하다 눈만 마주쳐도 웃음이 나는 좋은 동료들을 만나 즐겁게 비행했다. 그리고 나를 아껴 주는 남자를 만나 사랑받았고 아이를 낳아 비로소 삶의 아름다움에 감사할 줄 아는 사람이 되었다.

나를 잠시나마 숨 고르게 하는 것들이 곳곳에서 나를 위로한다.

나는 여전히 어리석고 부족하여 더 자라야 하는 마음이 어린 사람이고, 방황하며 길을 잃은 지도 없는 노역자다. 그렇게 겨우 서른다섯 해를 살아냈을 뿐이다.

이런 사람이지만 이제는 내가 누군가의 쉼터가 되기를 희망한다.

조윤서

차 례

2장 *Pre-flight Check* —————— 사랑은 외로움을 깨닫게 하는 것

3장 Take-off ──────── 바퀴를 떼야 하늘로 간다

4장 *In-flight*——— 난기류를 만나지 않는
                                       비행은 없다

5장 *Landing* ——————— 결국은 사람, 결국은 사랑

6장 De-briefing ——— 마침표로 끝나는 비행은 없다. 잠시 쉼표

1장 *Briefing*

Briefing

나는 어느 한 정거장에서

'나'를 발견했다

비행기가 출발하기 전

승무원들은 사전에 모여

그날의 비행에 관련된 내용을 브리핑한다.

승무원이 한 번의 비행에 임하기 전 숙지해야 할 정보는

수백 가지가 넘는데,

신기하게도 모든 승무원들이

그 어려운 일을 빠짐없이 해낸다.

내 머릿속을 채우는 그날의 수많은 비행 정보들 사이에서

매번 나를 숨죽이게 하는 정보는

비상 시 내가 도움을 주어야 하는 승객

비상 시 나를 도와줄 수 있는 승객

짧은 시간 이 작은 비행기 안에서도

결국 우리는 서로를 도와야

목적지에 도착할 수 있다.

일등석은
못 타도

대학 졸업을 앞두고 나는 길을 잃고 헤매면서노

길을 찾고자 하는 의지도 딱히 없는 무기력한 졸업반이었다.

그 나이 대부분의 대학생들이 그렇듯 무엇을 하며 살고 싶은지 몰랐고

알고 싶지도, 알려고 하지도 않았다.

대기업 공채가 올라오면 자기소개서를 수정해 제출하기를

기계적으로 반복하고 1차 서류심사를 통과하면 잠깐 기분 좋았다가

면접에서 떨어지는 일의 연속이었다.

그렇게 의미 없이 반복하던 구직활동들이 절실해지기 시작한 건,

아버지가 무리하게 시작했던 사업이 망하고

구치소에 수감되면서부터였다. 이미 가난했던 집안 형편은

이보다 최악은 없을 것이라는 나의 예상을 산산이 깨부수고

나에게 더 깊은 바닥을 보여주었다.

세상 물정 모르는 새엄마와 아직 중학생인 두 이복동생과

서울살이에 이미 지칠 대로 지친 나.

탈출구가 보이지 않는 막막한 조합이었다.

어떻게든 취직을 해서 돈을 벌어야 했다.

나는 졸지에 가장이 되어있었다.

그렇게 절박하게 매달리다 보니 최종 면집까지 올라간 회사가 두 곳.

공중파 방송사의 방송기자와 대형 항공사 객실 승무원이었다.

가난한 집안 형편 때문에 대학을 졸업할 때까지 해외여행은 언감생심,

생각도 못 하고 살아왔던 터라 공항 근처도 가 보지 못했던 나였다.

이런 내가 대형 항공사 객실 승무원이 될지도 모른다니,

매일 비행기를 탈 수 있다니,

최종 면접을 앞두고 마음이 설레었다.

나에게 해외여행이란 애써 가봐야 고생만 하고 돈만 낭비하는 일인데,

왜 다들 못 가서 안달인지 모르겠는 일이었다.

하지만 이런 나의 냉소가 사실은 갖지 못하는 것에 대한

의도적 외면이었음을 깨달았다.

갖지 못할 바에야 비난하고 마는 비겁한 마음이었다.

나는 나의 설렘을 따라 객실 승무원 최종 면접에 임했고,

초라함을 감추려던 어린 날의 냉소를 순순히 인정하며

그렇게 객실 승무원이 되었다.

하지만 나를 둘러싼 환경은 여전히 어려웠고

우리 집은 끝이 보이지 않는 바닥을 향해 계속해서 추락하고 있었다.

그래도 나는 설레었다.

방송기자 최종 면접일 이전에 객실 승무원 최종 합격 통보를 받았다.
방송기자 최종 면접에 가지 않고 항공사에 입사하겠다는 나에게
담당교수님은 "일등석을 타고 다니는 사람이 돼야지. 일등석 타는
사람들과 가깝게 살려고 해야지."라며 만류하셨다. 함께 졸업을 앞둔
대학 동기들이 대한민국에서 손꼽는 유명한 대기업에 줄줄이 합격하고
외국계 금융회사뿐만 아니라 심지어 UN에서 근무하고 있는 동기도
있었으니 교수님이 보시기에 나의 선택이 탐탁지 않으실 법도 했다.

십 년이 지난 지금 나는 일등석에 탑승하는 대기업 회장님들과 농담을
하기도 하고 유명한 가수가 이번 앨범에 들어갈 신곡이라며 즉석에서
노래를 들려주기도 한다. 일등석을 타고 다니지는 못하지만 여전히 나는
이 곳이 설렌다.

푸르고 뜨겁지
않다 한들

객실 승무원 공채가 나면 그 공채 한 번에 지원자가 만 명에 이른다.

내가 입사하던 당시에도 경쟁률이 100대 1에 이를 정도여서

사실 합격에 대한 기대가 없었다.

승무원이라는 꿈을 가지고 오로지 그 목표를 향해 달려온

다른 지원자들에 비하면 나는 준비가 턱없이 부족했다.

다만 취직에 대한 나의 열정은 그 누구보다 열렬했음을 자부한다.

꿈. 아름답지만 얼마나 추상적이고 공허한 단어인지.

돈. 속물적이지만 분명하고 직관적인 날카로움이다.

나는 나의 현실을 뭉뚱그릴 뿐인 꿈을 '좇'기 보다

분명하고 현실적인 해결책인 돈을 '쫓'기로 했다.

세상 사람들이 젊은 청춘들에게 기대하는,

조금 서툴러 보일지라도 푸르고 싱그러우며,

그래서 기성세대로 하여금 향수를 불러일으키고 마는

뜨거운 열정을 나는 한가롭고 배부른 소리라며 비웃어 주고

닳고 닳은 중년의 마음으로 살기로 했다.

닥치는 대로 공채 지원을 했고 면접의 기회가 주어지면

회사와 직종을 구분하지 않고 무조건 갔다.

내가 쫓는 것은 돈이자 취직이었기에 지원했던 회사들로부터

수십 차례 불합격 통보를 받아도 다음 면접을 향해 다시 내달릴 뿐

불합격에 대한 상실감은 없었다.

나는 하고 싶은 일도 잘하는 일도 없었기에 선택한 길이었다.

객실 승무원이라는 직업 역시 내가 내달리던 길목에

어쩌다 도착한 정거장 중 하나였을 뿐이다.

다만, 운 좋게도 객실 승무원이 되고 나서야

내가 포기했던 '열정'이란 것이 그제서야 생겨나기 시작했다.

세상 사람들이 학습 진도표처럼 정해둔,

꿈을 찾고 꿈을 이루기 위해 무엇을 해야 할지 고민하고,

실행해 이루어 내는 시간표를 무시하고 뒤죽박죽으로 지나왔지만

그래도 결국 나는 어느 한 정거장에서 '나'를 발견했다.

무작정 내달려 이루어 놓고 보니 꿈이었다.

꿈이 없는 청춘이라 하여 비난할 수 있을까. 분명히 그려지는 꿈을

가진 청춘이 몇이나 될까. 까짓 꿈같은 것 없으면 어떤가.

아름답게 포장할 수 없는 속물적인 것이라 한들

분명하게 나아갈 수 있다면 나는 응원받아 마땅하다 생각한다.

그러다 문득 천진한 꿈을 찾게 된다면 좋고

그렇지 않다 한들 그 역시 좋다.

누구나 몸담아 지나고 있는 시간의 속도와 질이 다르다.

모두를 아우르는 보편성이라는 것은 인간으로서 마땅히 지켜야 할

도의적인 선량함 외에는 없다고 생각한다.

이를 벗어나지 않는다면 청춘이라 한들 푸르고 뜨겁지 않다 하여

비난 받을 수 없다.

스무 살이든 마흔 살이든 아흔을 넘은 나이라도

그 나이에 '마땅히' 지니고 있어야 할 '정형화된 모습' 같은 건 없다.

"탈출구 불량!

저쪽으로!"

객실 승무원으로 일단 회사에 입사하면 그게 끝이 아니라

두 달 간의 훈련 기간을 거쳐 모두 통과해야만

객실 승무원으로 최종 입사가 확정된다.

훈련 기간 중 거의 매일 시험이 치러지고, 비행기에서 발생할 수 있는

모든 비상상황에 대비하여 훈련을 받는다.

쉴 새 없이 이어지는 시험 탓에 퇴근 후에도 공부하느라 밤을 새우고

 겨우 한두 시간 잠깐 눈만 붙인 후 출근하기 일쑤였다.

훈련을 통과하지 못하고 입사가 취소되는 동기도 있었다.

태어나 처음 듣는 비행 용어들은 너무나 생소해서 무작정 외우는

수밖에 없었고 매번 실전처럼 이루어지는 비상 탈출 훈련이

끝나고 나면 온 몸이 녹초가 되고 여기저기 멍투성이였다.

시험 한 번에도 입사가 취소될 수 있다 보니 고3 때도 흘려본 적 없던

코피를 몇 차례나 흘리며 공부하고 훈련했다.

절박했다.

이복동생들은 급식비가 밀려 학교에서 몇 차례나 전화가 온다 했고

공과금과 카드 값이 밀려 매일 독촉 전화에 시달린다고 했다.

훈련 중에도 조금이지만 월급이 들어왔고

최소한의 생활비만 빼고 나머지는 모두 집으로 보냈다.

점심은 회사 식당을 이용하고 저녁은 거르는 날이 많았다.

비상상황 발생 시 비행기 탈출을 위해 승무원들이 본인이 책임지는

비행기 도어를 오픈하면 승객들이 탈출할 수 있는 안전한 상태인지

확인하고 승객 탈출을 유도한다.

슬라이드 팽창에 실패하거나 바깥 상황이 위험해 탈출구로

사용할 수 없다고 판단되면 그 승무원은 사용할 수 없는 도어를

막아선 뒤, "탈출구 불량! 저쪽으로!"라고 소리치며

다른 도어로 승객을 이동시킨다.

나는 탈출이 불가한 비행기 도어 앞에 서 있는 기분이었다.

막막하고 두려웠다. 그럼에도 나는 이 막막한 현실에서 탈출할 수

있도록 소리치고 움직여야 했다. 그렇게 두 달 간의 훈련에서 나는

가장 좋은 성적을 받아 사장표창을 받았다.

훈련을 수료하던 날 모두 앞에 나가 받은 상장을 보면

아직도 조금 서글퍼진다.

악착같이 어떻게든 살아보려 버티던 내가 떠올라

마음속으로 어린 나를 잠시 안아준다.

스물다섯.

여리고 어린 나이였다.

비상장비와 항공기 도어 조작 훈련을 하던 날이었다.

화재 발생 시 사용하는 소화기 훈련에서

소화기 안전핀을 뽑지 못 해 Fail.

비행기 도어 조작 후 안전핀을 꽂지 못해 또 Fail.

전날 밤새워 공부하고 준비해 갔는데도

내 맘처럼 되질 않아 속상한 마음에 동기 언니를 붙잡고 엉엉 울었다.

"언니 안전핀이 안 보여. 안 보여 엉엉."

우는 나를 안고 동기 언니는 애써 웃음을 참았다 한다.

'그때 너 참 귀여웠어'라고 말해 주는 동기 언니의 말에

마음 한 구석이 어쩐지 편안해졌다.

'그래, 내가 마냥 삶에 찌들어 살진 않았었구나.

다행이다. 나도 귀여운 구석이 있는 젊은 날이 있었어.' 싶어지며

안심이 된다.

끝내 모르고
지나칠 것 같아
아까운 것들

비행기에서 깜깜한 기내를 연신 왔다 갔다 하며

쓰레기를 정리하거나 기내 화장실에서 지저분한 것들을 정리하고

두루마리 화장지 끝을 삼각형으로 예쁘게 접는 승무원이 있다면

그 승무원은 비행기 안의 막내 승무원이다.

그렇게 깜깜한 기내 안에서 승객들의 모니터 화면 빛에 의존해

 객실 복도의 실밥 하나까지 치우고, 화장실 거울이 닳도록

닦고 또 닦았던 나의 첫 비행은 프라하행이었다.

그날 비행의 팀장님께서는 비행기 안의 종이컵마저 어려워하는

신입승무원인 나를 붙잡고 진정하라 하셨다.

"왜 이렇게 긴장되어 있어요. 괜찮으니까 편하게 해요. 그런데 입술이

많이 건조해졌네. 하얗게 질렸어."라며 나를 걱정해 주셨다.

"감사합니다. 제가 원래 입술이 좀 건조한 편입니다. 걱정해 주셔서

감사합니다, 사무장님."

내 대답에 팀장님 표정이 썩 개운치 않으셨던 느낌이 있었지만

신입에게 팀장님은 숨이 막힐 만큼 어려웠던 터라 급히 자리를 떴다.

아이를 낳고 복직한 후 배정 받은 팀의 팀장님이 우연히도

그날 첫 비행 때의 팀장님이셨다.

팀장님도 그때의 나를 기억하시고는 감개무량 빠른 세월을 감탄하며

"윤서씨 진짜 많이 변했네. 전혀 막내 티 안 나네." 하셨다.

"에이 사무장님 저도 얼마 안 있으면 십 년 되는데,

아직도 어리바리하면 안되죠." 했더니

"내가 이제는 말할 수 있겠다. 그날 윤서씨 화장이 다 지워져서

어피(Appearance, 승무원들은 편하게 줄여 어피라고 한다)가 엉망이라

내가 돌려 말했던 건데 윤서씨가 자기 걱정해 주는 줄 알더라.

웃긴데 말은 못 하고 내가 얼마나 혼자 속을 끓였는지 알아?"

그날 썩 개운치 못했던 팀장님 표정의 미스터리가 풀리는 순간이었다.

승무원들은 단정한 모습을 유지하는 것도 업무의 일부라서

비행 중에도 항상 용모에 신경을 쓰는데 팀장님 눈에는

막내의 화장기 없는 파리한 얼굴이 얼마나 확대경처럼 크게 보이셨을지.

그런 중에도 차마 막내가 상처받을까 걱정되어

더 말씀하지 못하시고 홀로 속을 끓이셨던 모양이다.

이처럼 시간이 지나고 나서야 알게 되는 일들이 있다.

나를 걱정해 주시던 팀장님의 말씀 안에 사실은

내가 생각한 것보다 더 큰 배려가 담겨 있었다.

종이컵 하나를 집어 들려면 종이컵에게 허락을 구해야 할 것 같아

눈치 보던 막내 승무원이 이제는 애 엄마가 되어

팀장님과 옛날이야기를 하며, 그날의 배려에 감사할 수 있게 되었다.

문득, 내가 스쳐 지나버리고만 수많은 배려들이

또 있지 않았을까 생각해본다.

끝내 모른 채 살아가면 어떡하나 아까웠다.

이렇게나마 인연으로 다시 만나 지난 이야기를 나누다 알게 된

귀한 감사함이었다.

그러니 더 많은 사람들에게 도움이 되는 사람으로 살아야겠다.

그 사람들 중 누군가가 내가 모르던 어느 때 나를 배려했을 사람일지

아무도 모르는 일이니 말이다.

밤 비행을 할 때면 기내는 유난히도 더 어둡다.

고객의 편안한 휴식을 위해 불을 다 꺼놓기 때문이다.

"윤서씨 승객 콜(Call) 받으면서 아일 클리닝(Aisle cleaning,

승객 주변과 기내 복도를 깨끗하게 유지하는 업무) 하세요."

언제 어디서 도움을 필요로 하는 승객이 있을지 모르는 일이라

껌껌한 기내를 돌아다니며 계속 승객들을 살펴야 했다.

객실로 나가 한치 앞도 보이지 않는 기내를 걸으며

행여나 복도 쪽으로 나온 승객 발을 밟지 않을까 조심하면서

바닥에 떨어진 쓰레기를 찾아다녔다.

그러다 비상구 좌석 쪽에 뭔가 큼직한 것이 떨어져 있기에

보물찾기에 성공한 기분으로 덥석 집었는데,

"Oh my god! It's my foot!"

조용하던 기내에 승객의 외침이 울려 퍼졌다.

예상치 못한 큰 소리에 잠에서 깬 승객들은

깜깜한 비상구 좌석 앞에 서서 연신 허리를 굽혀대며

'아임 쏘리!'를 반복하는 승무원 한 명을 볼 수 있었을 뿐이다.

유니폼 때문이야

막내시절 나의 비행에는

가슴 한편에 남몰래 자리 잡고 있던 설렘이라는 '희망'과

눈만 뜨면 시작되는 빛 독촉의 '절망'이 혼재하였다.

마치 기름과 물처럼 어우러질 수 없는 삶의 온도차였다.

비행 시작 후 몇 달이 지날 즈음,

 마음을 다치고 사람에 치이기도 하며 이런저런 힘든 일이 많은 탓에 동기 몇 명이 사직을 했다는 소문이 들리기 시작했다.

불행 중 다행(?)으로 식은땀이 나도록 나를 두렵게 하는

우리 집의 가난은 나에게 그런 투정조차 용납하지 않았다.

한번은 괌에서 출발해 인천공항에 도착하기 직전 승객이 불러

급히 다가갔더니, 구토를 미처 참지 못한 승객이

내 머리 위로 구토를 하는 바람에

머리부터 발끝까지 온몸에 토사물을 받아낸 일이 있었다.

화장실로 가 대충 머리에 얹어진 라면 가닥들만 닦아내고

물수건과 화장지를 챙겨 손님에게 달려가 주변을 정리해 드렸다.

승객은 미안함에 연신 사과를 하시는데 다행히 물로 몇 번 닦아냈더니

감쪽같이 티가 나질 않았다.

"손님 괜찮습니다. 저희 유니폼이 얼룩이 묻어도, 티도 잘 안 나고

기내가 건조해서 금방금방 말라요. 걱정 마세요."

구치소에 수감된 아버지 소송을 위한 변호사 비용이 필요하니

돈을 보내 달라는 새어머니의 문자를 받고 출발한 비행이었다.

휴대폰 너머에 웅크리고 앉아 나를 갉아먹는 가난에 비하면

머리부터 뒤집어 쓴 토사물쯤이야 아무것도 아니었다.

퇴근길 여전히 토사물 냄새가 짙은 나를 선배 승무원들과

사무장님들이 안쓰러운 눈으로 바라보며 걱정하셨다.

스테이(Stay, 승무원이 해외에 체류하는 것을 칭하는 용어) 중 입으려고

챙겨갔던 옷으로 대충 갈아입고

집으로 돌아가는 공항리무진 버스에 몸을 실었다.

옷을 갈아입었는데도 머리며 몸에 구토냄새가 배어

맨 뒤쪽 가장 구석진 자리로 가 앉았다.

자리에 털썩 앉으니 그제야 눈물이 쏟아지기 시작했다.

'유니폼 때문이야.'

유니폼을 벗으니 다시 기름때 가득한 절망이다.

물과 기름처럼 도저히 나의 삶은 어우러지질 않는다.

불과 몇 시간 전까지 내가 바라보던

괌의 에메랄드빛 해변은 꿈처럼 사라지고,

소송비를 또 어찌 마련해야 할지 막막함만이 남았다.

출근 준비를 할 때면 유니폼을 가장 나중에 입는다.

단정하게 유니폼을 입고 매무새를 다듬고 나면

무겁게 고여 있던 고단한 기름 덩어리들이 맑게 씻겨 내려가고

그저 오롯이 나만의 시간을 따라 청량하게 흐른다.

잠시 잠깐 숨 고를 틈도 없이 바쁘게 몰아치는

비행기 안에서의 업무가 오히려 다른 생각을 허락하지 않아

나에게는 오롯이 나 자신만 존재하는 시간이었다.

유니폼 덕분이었다.

물과 기름처럼 이다지도 어우러지지 않는

나의 삶이 유니폼을 입으면,

나를 고단하게 하는 모든 것들에게서

잠시 잠깐 쉬어갈 수 있게 해 주었다.

"윤서씨 블라우스 소매는 어쩜 이렇게 항상 새것처럼 하얗고 깨끗해?

풀 먹인 것처럼 빳빳하네!"

유니폼을 입고 비행하는 시간이 유일하게 내가 쉬어가는 시간이었다.

잠시 잠깐. 나를 붙잡는 모든 것들에게서 멀어지도록 유니폼에

작은 얼룩 하나도 없이 그저 깨끗한 나 자신으로 있기를 바랐다.

나의 아이와 남편을 만나 편안해진 지금,

이제는 소매에 묻은 와인 얼룩이 슬프지 않다.

비행이 그저 내가 사랑하는 일로 남았다.

더 이상 내가 도망쳐야 할 고단한 기름덩어리가 없다.

야속한 짝사랑

30년 가까이 비행을 하신 사무장님께서는

승객 콜이 울리면 자존심이 상한다 하셨다.

무슨 의미일까 의아했다.

승객이 콜을 눌러 요청하기 전에 미리 필요한 것들을 파악해

서비스하는 게 승무원이어야 하는데

그걸 미처 챙기지 못하고 승객이 요청을 하게 했으니

 자존심이 상한다는 의미였다.

한 비행기 안에 탑승하는 승객이 적어도 200명은 넘는데

그 많은 승객의 니즈(Needs)를 어찌 다 파악해 미리 서비스를 할 수 있

단 말인가. 그때는 사무장님의 말씀이 잘 이해가 되질 않았다.

그런데 10년이 지나고 보니 사무장님의 말씀처럼 욕심이 생긴다.

나뿐만 아니라 모든 승무원들의 일종의 직업병인 듯.

오죽했으면 한 발 앞서 서비스하고 싶은 마음에

승객의 기색을 너무 살폈는지, 승무원이 부담스러워 불편했다는

고객서신이 접수되어 '자연스럽게' 승객 가시권에서 서비스할 것을

권고하는 회사 공지가 올라 왔었다.

내 맘도 몰라주는 야속한 짝사랑 상대에게 거절당한 듯

한동인 싱실감을 가지게 했던 고객의 시신이었디.

비행 중 자꾸 승무원이 다가와 내 얼굴을 살피고 간다면

그 승무원은 하나라도 더 챙겨드리고 싶은 마음에

필요한 것은 없는지 파악하려 노력하는 중이다.

부디 자주 다가와 빤히 쳐다보다 사라지는 승무원을

부담스럽다 하지 말고 기특하다 여겨 주시길.

눈동자가 어딜 바라보는지 알 수 없게 방향을 상실하고 표정은

어색한데 분명히 나를 쳐다보는 건 맞는 것 같은 이상한 분위기라면

그 승무원은 지금 '자연스럽게' 가시권에서 서비스하라는

회사 권고에 따라 최선을 다해 승객을 안 보는 척 연기를 하는 중이다.

발연기일 것이 분명하겠지만

이 연기도 기특하다 여기주시길 바라본다.

비행을 하며 수많은 승객을 대하다 보니 알쓸신잡 타입의 관상가가 되었다. 비즈니스 클래스에서 근무하면서 비행 중 승객들과 10시간이 넘는 시간을 보내고 나면, 왠지 9A좌석 승객이 신발을 잊고 기내슬리퍼를 신고 내릴 것 같다 싶을 때가 있는데 아니나 다를까 백이면 백 슬리퍼를 신은 채 비행기에서 내린다.

알쓸신잡 관상 촉이 발동하는 날이면 비행기에서 내릴 준비를 할 때 일부러 근처에 가서 서 있다가 슬리퍼를 신고 나가려 하는 승객을 붙잡아 신발로 바꿔 신을 것을 알려드린다. 그 승객은 창피해 하시면서도 유쾌하게 웃어넘기신다. 비행기 밖에서는 써먹을 데 없는 촉이지만 승객과 한 번 크게 웃을 수 있는 재미난 능력 개발이다. 득템!

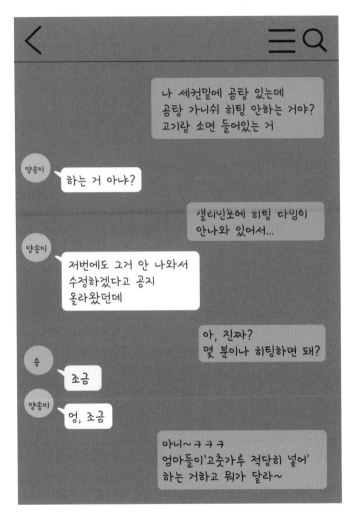

* 세컨드 밀(Second meal, 기내에서 두 번째로 제공하는 식사)

* 가니쉬(Garnish, 곁들이는 재료)

* 갤리 인포(Gally Information, 승무원들이 기내식 준비를 할 때 참고하는 메뉴 가이드)

기내식도 결국 오븐 히팅 하는 승무원 손맛에 달렸다.

스테이크 굽기도 승무원 손맛 따라,

유난히 기내식이 맛있는 비행이었다면

그날은 손맛 좋은 갤리 사무장님 덕분이다.

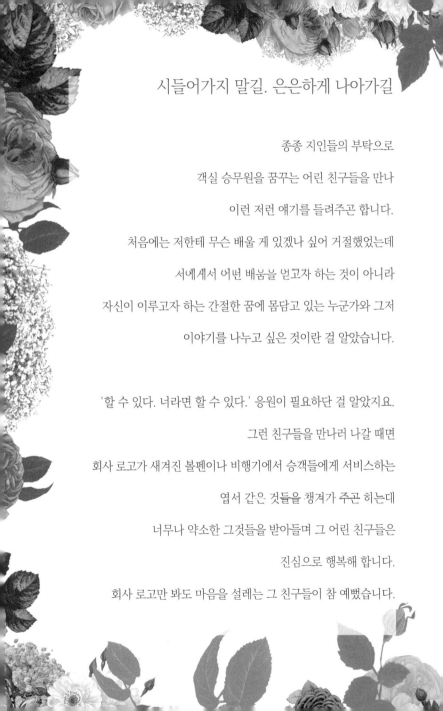

시들어가지 말길. 은은하게 나아가길

종종 지인들의 부탁으로

객실 승무원을 꿈꾸는 어린 친구들을 만나

이런 저런 얘기를 들려주곤 합니다.

처음에는 저한테 무슨 배울 게 있겠나 싶어 거절했었는데

서에게서 어떤 배움을 얻고자 하는 것이 아니라

자신이 이루고자 하는 간절한 꿈에 몸담고 있는 누군가와 그저

이야기를 나누고 싶은 것이란 걸 알았습니다.

'할 수 있다. 너라면 할 수 있다.' 응원이 필요하단 걸 알았지요.

그런 친구들을 만나러 나갈 때면

회사 로고가 새겨진 볼펜이나 비행기에서 승객들에게 서비스하는

엽서 같은 것들을 챙겨가 주곤 하는데

너무나 약소한 그것들을 받아들며 그 어린 친구들은

진심으로 행복해 합니다.

회사 로고만 봐도 마음을 설레는 그 친구들이 참 예뻤습니다.

승무원이라는 직업을 얘기할 때 빠지지 않는 카테고리는

역시 외모입니다. 화사한 유니폼을 단정히 차려입고

함께 모여 있으면 그 아우라에 저마저 눈을 떼지 못하곤 합니다.

비단 외모뿐만 아니라 너무나 간절히 바라던 꿈을 이룬

그들의 설렘과 행복이 전해져 그들 주변이 빛이 나는 듯했습니다.

그렇게 빛나던 친구들을 몇 년이 지나

우연히 다시 비행에서 만나게 되면 그때 그 사람이 맞나 싶을 만큼

달라져 있을 때가 있습니다.

가만히만 있어도 빛나던 사람은 사라지고

일상에 지쳐 하루하루 버텨 내고 있는 직장인이 되어 있어

마음이 아플 때가 있습니다.

승무원이 하는 일이 어찌 보면 참 단순하고 반복적입니다.

비행기가 이륙하고 착륙하기까지 정해진 순서대로

매일 똑같은 일을 하다 보니 매너리즘에 빠지기 쉽죠.

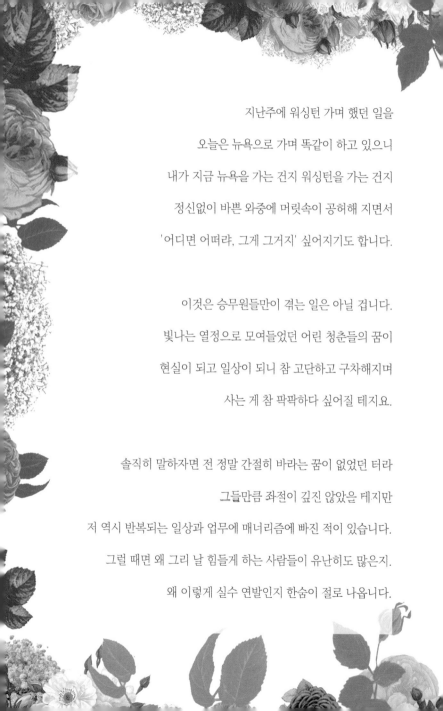

지난주에 워싱턴 가며 했던 일을

오늘은 뉴욕으로 가며 똑같이 하고 있으니

내가 지금 뉴욕을 가는 건지 워싱턴을 가는 건지

정신없이 바쁜 와중에 머릿속이 공허해 지면서

'어디면 어떠랴, 그게 그거지' 싶어지기도 합니다.

이것은 승무원들만이 겪는 일은 아닐 겁니다.

빛나는 열정으로 모여들었던 어린 청춘들의 꿈이

현실이 되고 일상이 되니 참 고단하고 구차해지며

사는 게 참 팍팍하다 싶어질 테지요.

솔직히 말하자면 전 정말 간절히 바라는 꿈이 없었던 터라

그들만큼 좌절이 깊진 않았을 테지만

저 역시 반복되는 일상과 업무에 매너리즘에 빠진 적이 있습니다.

그럴 때면 왜 그리 날 힘들게 하는 사람들이 유난히도 많은지.

왜 이렇게 실수 연발인지 한숨이 절로 나옵니다.

객실 승무원을 꿈꾸는 친구들이 물어보곤 합니다.

"일하면서 어떤 점이 가장 힘이 드세요?"

저는 매일 반복되는 일상에 내가 시들어가는 것이

가장 힘들고 경계해야 할 일이라 대답합니다.

물론 밤새 일하며 겪는 체력적 문제라든가,

외국인 승객과 겪는 소통의 문제 등 힘든 일이 참 많기도 합니다만

가장 극복하기 힘든 일은 역시 자신에게서 비롯되는

매너리즘의 문제인 듯합니다.

그렇게 매너리즘에 빠지면 그토록 나를 설레게 하던

파리, 취리히, 로마의 이국적 풍경늘마서

그저 내가 매일 지나치던 동네 어귀처럼 시들해질 뿐

아무런 감흥이 되지 못하고

내가 충실히 하루를 살아가는 것이 아니라

숨만 쉬며 시간을 보내는 것 같습니다.

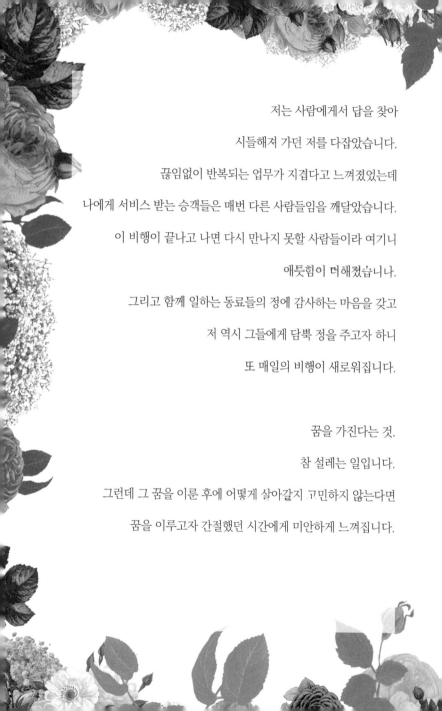

저는 사람에게서 답을 찾아

시들해져 가던 저를 다잡았습니다.

끊임없이 반복되는 업무가 지겹다고 느껴졌었는데

나에게 서비스 받는 승객들은 매번 다른 사람들임을 깨달았습니다.

이 비행이 끝나고 나면 다시 만나지 못할 사람들이라 여기니

애틋함이 더해졌습니다.

그리고 함께 일하는 동료들의 정에 감사하는 마음을 갖고

저 역시 그들에게 담뿍 정을 주고자 하니

또 매일의 비행이 새로워집니다.

꿈을 가진다는 것.

참 설레는 일입니다.

그런데 그 꿈을 이룬 후에 어떻게 살아갈지 고민하지 않는다면

꿈을 이루고자 간절했던 시간에게 미안하게 느껴집니다.

승무원이 되고 싶어 눈을 반짝이며

내 앞에 섰던 그 어린 친구들이

꿈을 이루고 승무원이 되어 일하면서

그때만큼 빛나진 않더라도

은은하게 그리고 우아하게 성장하길 바랍니다.

그리고 저 역시 그런 승무원으로 살아보려 합니다.

2장 *Pre-flight Check*

Pre-flight Check

사랑은 외로움을

깨닫게 하는 것

비행기가 목적지에 안전하게 도착할 수 있도록

도어를 닫고 활주로로 나아가기 전까지

체크리스트에 따라 수많은 점검사항을

몇 번이나 반복하며 확인한다.

비상장비와 의료장비의 위치와 상태를 점검하고

기내 의심 물질은 없는지 보안점검을 하고

승객들을 위한 기내식과 음료 등의 탑재상태,

비행 중 필요한 기물의 탑재상태 등

수십 가지의 사항들을 수많은 사람들이 분담하여

점검하고 상호확인까지 거쳐 문제가 없음을 확인하면

그제야 비행기 도어를 닫고 출발한다.

인생도 체크리스트가 있어

몇 번이고 미리 점검하고 확인한 후에

시작할 수 있다면 얼마나 좋을까.

양화대교를 건너
하늘길로

스물넷.

하루하루가 불안하기만 하던 취준생 시절이 생각난다.

서류 심사를 겨우 통과하고 면접을 치르러 가던 날이었다.

하얀 블라우스에 검정 재킷과 검정 치마를 입고

운동화를 신고, 구두는 가방에 챙겨 넣었다.

자취집이 있던 신촌에서, 면접장까지

양화대교를 건너 걸어가야 했다.

지방에서 상경해 월세방에서 자취하던 대학생은,

수백 통의 이력서를 제출하고

수십 곳의 면접장을 찾아 다녀야 했다.

시청에서 광화문으로, 일산으로, 또 어느 날은 신림으로.

그렇게 어느 날은 교통비마저 빠듯하여

구두를 챙겨 들고 일찌감치 집을 나서

면접장까지 걷기 시작했다.

스마트폰도 없던 그 시절 어떻게 길을 찾아 한강 다리를 건너

거기까지 갔는지. 이십 대였기에 가능했던 길이었다.

그렇게 겨우 도착하여 치른 면접에서,

"여중, 여고, 여대를 나오셨네요?" 이게 질문이었는지,

면접관님의 혼잣말이었는지 모르겠다.

다만, 그때 나는 너무나 절박하여 무슨 말이든 해야 했고

그렇게 흑역사로 남을 대답이 튀어나왔다.

"네, 그래서 제가 승무원이 되겠다고 했을 때, 주변에서 다음은 수녀

원이냐며 웃곤 했습니다."

지금 생각해도 얼굴이 새빨개진다.

몇 날 며칠을 고민하고, 공부하고, 연습했던 질문들과 답변들이

이렇게 허무해지는 순간이라니.

다행히 내 대답에 면접관님은 웃어주셨고

나는 승무원이 되었다.

지금도 그날의 나를 생각하면

어리고, 가난하고, 불안했던 내가

안쓰럽고 뿌듯하기도 하고, 부끄럽기도 한 것이

마음이 복잡하다.

회사에 입사하며 이제 다시는 불안한 나는 없을 거라고,

내 앞에 펼쳐질 꽃길만, 아니 하늘길만 상상하며 행복했었다.

하지만 웬걸.

나의 하늘길은 곳곳이 난기류로 흔들리고 불안하기만 했다.

그리고 아이를 낳으며 나의 하늘길은

더 지속적이고 강력한 난기류 상태가 되었다.

아이를 키운다는 것은,

'교통비가 없으면 까짓 걸으면 되지 뭐'라고 마음먹고

나 혼자 호기롭게 견뎌내기만 하면 이겨낼 수 있는

그런 문제가 아니었다.

너무나 많은 변수가 있었고

나의 노력과 무관하게 바람 잘 날 없는 것이 바로,

아이를 키우는 일이었다.

일과 육아를 아슬아슬하게 줄다리기 타듯 이어나가며

언제나 미안했고, 눈치만 보는 죄인 같았다.

그런 나를 다독이고 위로해 주던 것이 아이러니하게도 또 아이였다.

이 세상의 모든 아이들은 마음속에,

무의식 속에 지난 생의 기억을 가지고 있는 것 같다.

문득, 말도 안 되게, 나를 키우는 아이의 시간이 있어

나도 조금씩 어른이 되어가고 있다.

작은 천사들

신입 승무원 시절 샌프란시스코로 향하던 비행이었다.

내가 담당했던 존(Zone, 각 승무원의 서비스 담당 영역)의 앞쪽에

눈도 아직 뜨지 못한 인형처럼 작은 아기들 여섯 명이

나란히 엄마 품에 안겨 있었다.

어찌나 작은지 툭 건드리기만 해도 부서질 듯

너무나 여린 아이들의 모습에 눈을 떼지 못했다.

"사무장님 아기들 너무 귀여워요! 저렇게 아기들 여러 명 모여 있는

모습 처음 봤는데 모여 있으니 더 예쁜 것 같아요."

"윤서씨 저 아기들 해외로 입양 가는 아기들이에요. 언제 한국으로

다시 돌아올 수 있을지 모르니 우리 아기들이 기억하진 못하더라도

잘 챙겨줍시다. 건강하게 잘 지내라고 꼭 한국으로 다시 돌아오라고

마음속으로 진심을 다해 기도해 줍시다."

사무장님 말씀에 나는 그러면 안 되는 줄 알면서도

아기들 근처로 갈 때면 자꾸만 올라오는 눈물을 참아내느라

아픈 목구멍을 꿀꺽꿀꺽 삼켜야 했다.

엄마 품에 안겨 있는 줄 알았던 아기들은

사실 입양절차를 진행하시는 분들에게 안겨 있었던 것이다.

어린 승무원이었던 나는 그 아이들을

어떻게 잘 챙겨줘야 할지도 몰랐다.

그저 뒤에서 작은 뒤통수들을 바라보며

몇 번이고 몇 번이고 마음속으로 기도만 했을 뿐이다.

그리고 몇 년 뒤 아이를 낳고 복직한 비행에서

해외로 입양 가는 아기들을 또 만나게 되었다.

신입 때와 달리 탑승하는 아기들을 보며 직감했다.

아기를 안고 계시던 승객이 잠시 화장실 다녀올 동안

아이를 잠깐 봐줄 것을 부탁해 아기를 내 품에 안았다.

곤히 자고 있던 아이가 내 품에 들자

내 가슴 안으로 파고들며 입을 오물거렸다.

복직하면서 단유를 한지 꽤 되었는데도 모유가 조금씩 새어

아이가 내 품에서 젖내를 맡아 파고드는 것 같았다.

나는 또 왈칵 오르는 눈물을 겨우 삼켜냈다.

이 작은 아이의 엄마는 무슨 고단한 사정이 있어

목숨 같은 아이를 떼어 보내야 했을까.

아이두 엄마도 가여워 자꾸만 눈앞이 흐려졌다.

아이를 낳고 보니 이제는 먼 타국으로 떠나는 아기들뿐 아니라

그 엄마도 가여워 신입 시절의 그날보다 더 마음이 쓰렸다.

이 여린 아기들이 부디 많이 사랑받고

많이 사랑하는 사람으로 자라기를 기도했다.

그리고 작게나마 나의 애정도

그 아이들이 앞으로 받을 사랑에 보태어 주었다.

측은지심

인천공항에 자동출입국 심사 검색대가 생겼다.

미리 등록만 해두면 기계에 여권과 지문을 찍어

간편하게 입출국이 가능한 시스템이었다.

입출국 횟수가 많은 승무원들이 가장 먼저 등록하여 이용하게

되었는데 의외의 곳에서 문제가 생겼다.

자동출입국 검색대의 최대 장점이 빠르고 편리하게

출입국 심사를 마칠 수 있다는 것인데

승무원들은 유독 시간이 오래 걸려 기존에 심사관을 거쳐

출입국을 하던 때보다 시간이 더 걸리는 듯했다.

이유인즉슨 승무원들이 지문이 잘 찍히지 않아

기계가 통과를 시켜주지 않은 탓이다.

승무원으로 일하다 보면 생기는 능력들이 있는데

그 중 하나가 뜨거운 것을 맨손으로 잘 잡는 것이다.

일반석의 경우 승무원들이 서비스해야 하는 승객이 대략 300명

정도인데 뒤에 앉은 승객이 식사를 너무 오래 기다리지 않도록

속노를 조절해야 하고,

이미 식사를 서비스한 승객일지라도 추가로 요청하는 주문에 대해

기다리는 시간이 길어지지 않도록 석설하게 서비스해야 힌다.

그렇다 보니 승무원들은 오븐 장갑을 찾는 시간조차 아까워

웬만큼 뜨거운 것들은 그냥 맨손으로 집어들게 되고

그 덕에 지문이 많이 닳아서 입출국 심사 때 지문이 잘 찍히지 않아

곤란한 경우가 많이 생기는 것이다.

그럴 때면 괜스레 허벅지에 손을 비벼댄 뒤 다시 찍는데

그런다 한들 없어진 지문이 다시 생길 리가 없으니

자동출입국 심사가 거절되고 결국 유인 심사대로 가

다시 출입국 절차를 밟는 것이다.

빠르고 간편하게 하려던 것이 결국 더 번거로워졌었는데

시간이 지나면서 기계도 우리를 알아보는지 점차 거절하는

횟수가 줄어들고 요즘은 기특하게도 우리 지문을 찰떡같이

잘 찾아내 바로 통과시켜 준다.

나는 자기가 업으로 삼은 일이 무엇이든

나의 일과 나와 함께 일하는 사람들에 대한

'측은지심'이 있어야 한다 생각한다.

그래야 나의 업을 사랑하고 자부심을 갖게 되고

함께 일하는 사람을 비로소 동료라 여기게 된다.

무거운 짐을 들고 타신 연로한 승객에 대한 측은지심.

아이를 동반한 승객이 장거리 비행 내내

얼마나 힘들고 긴장할지 걱정하는 측은지심.

행여나 승객이 화상을 입어 아프게 될까

걱정하는 측은지심이 모여 나를 비행기 안에서

그리 힘든 줄도 모르고, 무거운 줄도 모르고 일하게 한다.

비행기 곳곳에 나의 측은지심이 녹아 들어

나를 바삐 움직이게 하고 내가 움직인 덕에

어느 한 사람이 편해졌다 하면 그걸로 충분히

만족감을 얻고 자부심을 갖는다.

지금 사회에 첫 발을 내딛는 누군가가 있어 나에게

조언을 구한다면 나는 '측은지심'을 가지라 한다.

혹시 나를 힘들게 하는 상사나 선배가 있다면

측은지심을 가지고, '뭔가 안 좋은 일이 있어 저리 나에게 화를 내시

나 보다. 참 안됐다.' 그리 생각하면 한결 마음이 편하다.

내가 못난 사람이고 내가 무능력한 사람이라서 괴롭나 여기지 말고

저 사람이 불쌍한 사람이다 안됐다 여기면

나의 자존감도 지키고 나를 힘들게 하는 상대를

원망할 이유도 사라진다.

강산도 변한다는 십 년이라는 시간을 내가 승무원을 업으로 삼아

잘 지나 올 수 있었던 건 결국 다 마음가짐에서 비롯하였다.

일분도 앉아 있을 새 없이 너무 바빴던 장거리 비행을 마치고

모든 승무원들이 녹초가 되어 인천공항에 도착했다.

하루를 꼬박 새는 장거리 비행에 쉴 새 없이

몸을 움직이다 보니 손가락 하나 들어 올릴 기운이 없고,

그렇다 보니 거울 한 번 들여다볼 틈이 없어

모두 꼴이 말이 아니었다. 화장은 이미 무너져 칙칙하고

다들 피곤에 찌든 모양새로 겨우 겨우 걸어

자동출입국 심사대에 섰다.

꾹꾹 손가락을 눌러 겨우 지문 인식을 마치고,

다음은 사진 촬영. 그때 내 옆 라인에서 출입국 심사를

진행하던 부팀장님 기계가 유난히도 큰 소리로,

"선글라스 등을 벗고 촬영해 주십시오." 하는 것 아닌가.

우리는 피곤에 찌든 와중에도 그 소리에 빵 터져 웃어댔다.

피곤에 지친 부팀장님의 다크서클을 야속한 기계가 선글라스로 인식해

결국 부팀장님은 쓸쓸히 유인 심사대로 가셔야 했다.

외간 남자의
어깨

방콕에서 부산까지 오는 밤샘 비행을 마치고

부산에서 김포공항까지 엑스트라(Extra, 승무원이 근무를 하지 않고 승객

처럼 좌석에 앉아 오는 비행)로 올라오는 스케줄이었다.

부산까지 오는 동안 밤을 꼬박 새우고 부산공항에서

아침식사를 한 후 탑승한 김포행 비행기였기에

배정 받은 좌석에 앉자마자

언제 잠이 들었는지 모르게 잠이 들고 말았다.

그렇게 한참 자는데

그 비행기에 듀티(Duty, 승무원이 해당 비행에서 맡은 업무)로

근무했던 선배가 나를 흔들어 깨웠다.

"윤서씨! 윤서씨! 이제 일어나요! 김포 도착했어요!

승객들도 이미 다 내리셨어요."

선배의 말에 겨우겨우 눈을 떠 내릴 준비를 하려는데

선배가 내 등을 찰싹찰싹 때리며

"내가 진짜 윤서씨 때문에 못 살아 못 살아!" 하는 것이 아닌가.

왜 그러시나 물었더니

"윤서씨 옆자리 하나 비었던 건 기억나지? 거기에 K씨가 탑승하셨어,

오늘."

운동선수 출신에 여러 예능프로그램에서 MC로 나오는 K씨가

내 옆에 앉았다 내리셨는데도 몰랐다니.

"저 완전 팬인데! 너무 아깝다!"

"윤서씨 지금 그게 문제가 아니야. 윤서씨가 그분 어깨에 너무 기대

누워 자는 바람에 내가 그거 보고 윤서씨 깨우려고 했더니, K씨가 괜

찮다면서 냅킨만 서너 장 달라고 하시더라고,

냅킨 드렸더니 글쎄 윤서씨 기댄 어깨에 슬쩍 대시는 거야.

윤서씨가 너무 침을 흘려서!"

"네에~? 아니 저 깨우시지 그러셨어요! ㅠㅠ"

"극구 괜찮다면서 말리시는데 어떡해.

내가 정말 윤서씨 때문에 못 살아."

그렇게 나는 그날 외간 남자의 어깨에 기대어

나의 흔적까지 남겨 드리고 말았다.

그 후로 TV에 그분이 나올 때면

나도 모르게 어깨로 시선이 간다. 아직까지 내 침 자국이

남아 있을 리 없는데도 어쩔 수 없이 시선이 머무른다.

'제가 그날 밤을 새서 그렇습니다!

밤새우고 밥까지 배불리 먹고 비행기에 타서 그렇습니다!

매번 그러는 사람은 아닙니다!'

이렇게 상대가 듣지 못할 변명을 몇 년 째 TV에 대고

그분이 나올 때마다 이불킥을 하며 홀로 외친다.

무관심이
아파진 날

결혼 전의 나는 무관심에 익숙하고 나 역시 남 일에

무관심한 사람이었다. 자식 일에 큰 관심을 두지 않는

우리 집의 분위기 탓에 그렇게 자라왔고

별 불편함을 느끼지 못하며 살았다.

고3 수험생 시절.

 지방에 살던 내가 서울로 수시 면접을 보러 가던 날,

새엄마가 어디를 가냐 묻기에 오늘 대학 수시 면접이 있어 다녀오겠다고 했더니 네가 벌써 고3이었냐며 놀라워 할 정도.

그런 집안 분위기를 탓하며 방황을 하거나 슬퍼하진 않았다.

그저 그런 무관심이 편한 사람으로 그렇게 자랐다.

서울 소재 대학에 입학한 뒤 첫 일 년은 학교 기숙사 생활을 하고

그 후 결혼 전까지 9년 정도 자취생활을 했다.

9년이란 시간 동안 이사 횟수는 7번,

등록금이 부족해 휴학한 1년을 제외하면

매년 이사를 다닌 셈이다.

서울살이는 언제나 가난하고 고단했다.

돈이 없어 200원짜리 자판기 밀크 커피 한 잔으로

하루를 버티는 날도 있었다.

자식에 관심이 없는 부모님은

내가 이사를 가는지도 내가 어디에 살고 있는지도

관심이 없었으니 먹고 사는 문제조차 무관심했다.

거기에 익숙해진 나 역시 배고픈 나의 생활에

불만조차 가지지 않았다.

회사에 입사한 뒤로도 집안에 이런저런 큰일들이

생기는 바람에 내 월급은 고스란히 집에 보내지고

생활은 이전과 별반 다르지 않았다.

그런 와중에 이복동생이 대학 면접을 보기 위해 서울에 오게 되어

새엄마와 처음으로 내가 사는 원룸에서 하룻밤을 묵게 되었다.

겨울에 가까운 가을 날씨는 제법 추웠는데

우리 집 보일러는 작년부터 고장이 나 집이 오슬오슬 한기가 들었다.

새엄마가 왔단 소식에 사귀던 남자친구가 인사를 드리기 위해

우리 집에 들렀다. 가벼운 인사를 서로 나누고 잠시 앉아

커피 한 잔 나누는 사이 새엄미가 겉옷을 찾아 걸치며,

"어휴, 집이 너무 추워. 이렇게 추운 집에 우리를 재우고 그래."라고

말했다. 추위에 익숙해져 그다지 느끼지 못했던 내가,

"많이 추워? 미안해. 난 이 정도로 추워할 줄 몰랐지."라고 사과했다.

자리를 물리고 일어난 남자친구를 배웅해 주기 위해 따라 나섰는데

이 남자가 눈물을 글썽거린다.

"뭐야? 왜 그래? 왜 울어?"

"나는 네가 그렇게 추운 집에서 내내 지냈다는 게 너무 마음이 아픈데

어떻게 그 생각은 못 하시지? 넌 앞으로도 그 집에서 내내 추울 수

있는데 왜 그 걱정은 안 하시지?"

엉겹결에 뒤통수를 맞아 핑 하니 현기증이 났다.

아, 내가 안쓰러워야 하는 일이었구나.

아, 대학 면접은 저렇게 엄마랑 같이 가는 거구나.

내가 참 외로운 사람이었구나.

그날이 내가 처음으로 무관심이 아파진 날이었다.

나에게 '그건 네가 아파할 일이야'라고 알려준 탓에

그 남자친구는 나의 남편이 되어

때로는 다정다감한 아빠인 듯

큰딸 하나 더 키우듯 나를 키우기도 하고,

때로는 세상 애틋한 남편으로

그리고 때로는 내 아들인 듯 속도 썩이며

그렇게 살고 있다.

시댁에 가면 시부모님께선 항상 이번엔 어느 나라를 다녀왔는지,

다음에는 어느 나라로 비행을 가는지 물으신다.

다녀온 나라의 치안이 나쁘진 않았는지,

그곳에서 끼니는 어떻게 해결하는지를 물으신다.

뉴스에 내가 다니는 회사에 관련된 기사가 나오면

관심을 갖고 챙겨보셨다가 '그래서 회사가 어떻게 된다더냐.'

물으시기도 하신다.

처음에는 시부모님의 질문과 관심들이 버겁나고 느껴졌었는데 시간이

지날수록 '아, 이런게 애정이구나. 내 사람이니 궁금해지는 거구나.'

하고 깨닫는다.

나는 자식을 외롭게 하는 부모가 되지 말아야겠다고 다짐한다.

나의 아이가 자라 만나게 될 평생의 반려는

부디,

나의 아이를 애정 어린 관심으로 지켜봐 주는

그런 사람이면 좋겠다.

아이를 궁금해 하고 걱정해 주는

그런 시부모님이면 좋겠다.

아이에게 사랑과 측은지심을 갖고 함께 아픔을 지탱해 주는

그런 가족이면 좋겠다.

아이 아빠 같은 그런 사람과 반려가 된나면, 좋겠다.

착한 사람,
바른 사람

사람 인연이라는 게 참 묘하고 알 수가 없다.

남편과의 첫 만남은 성악과 학생들과 미팅을 하고 돌아온

남편에게 미팅 후기를 들으며 시작되었다.

여고 동창의 대학 선배였던 그 사람은

이태원에서 미팅을 마치고 돌아가는 길에 우연히 친구와 나를 보았고

자연스럽게 합석해 미팅 후기를 들려주었다.

 전집에서 이루어진 성악과 학생들과의 미팅은 합창으로

넬라판타지아를 열창하며 마무리 되었다고 한다.

김치전과 파전을 앞에 두고 듣는 넬라판타지아의 감동은

막걸리 스타일인 그 사람의 마음까진 울리지 못했던 모양이었다.

미팅을 전집에서 하지 않았다면 (이태원에서 굳이 왜 전집을 찾아 미

팅을 했는지 아직도 이해가 되지는 않지만),

성악과 학생들이 김치전을 앞에 두고 열창을 하지 않았다면,

내가 그날 친구와 이태원을 가지 않았다면.

우리가 만나지 못했을 가정은 너무나 많았지만 어쨌든

우린 그 모든 우연과 필연을 건너 그날 그 자리에서 만나

서로의 인연이 되있다.

우리가 처음 만났던 그날.

이태원에서 헤어져 각자의 집으로 돌아간 후 늦은 저녁부터

시작된 우리의 통화는 새벽 네 시가 되어서야 끝났다.

처음 만난 사람들끼리 무슨 할 말이 그리 많았는지

잠깐의 침묵도 없이 우리는 몇 시간 동안 대화를 나눴다.

다음 날 출근해야 한다는 부담감보다 지금 당장 이 사람과

나누는 대화의 즐거움이 컸다.

아무리 친한 친구라도 단둘이 있으면 어색해 어쩔 줄 모르는 내 성격에

처음 만난 사람과 그토록 오랜 시간 통화를 하고

만날 약속까지 한다는 게 나 자신도 신기했다.

내가 모르던 나 자신을 낯설지만 두근거리며 발견했다.

남편과의 연애는 내가 몰랐던 나에 대한 발견의 연속이었다.

감정적 사랑과 지적 설렘이 폭포처럼 나에게 쏟아져 내리는

시간이었고 나는 기꺼이 나를 그 안에 맡겼다.

사람 인연만큼이나 알 수 없는 것이 사람의 기억이다.

우리 두 사람은 우리 만남에 대해 서로 너무나 다른 기억을

가지고 있다. 나는 남편이 나를 쫓아다녀 우리가 결혼에

이르렀다 기억하지만 남편은 내가 자기를 쫓아다녔다 기억한다.

처음엔 장난이겠거니 했는데 자꾸 얘기를 나누다 보니

이 사람이 진심으로 그렇게 기억하고 있는 것이 아닌가!

우리 두 사람 사이의 일은 우리 두 사람밖에 모르니

누구 말이 맞는지 물어 볼 곳도 없어 답답한 노릇이다.

누가 누굴 쫓아다니며 졸랐든 나는 이십 대의 갈림길에서,

남편은 삼십 대를 시작하며 서로를 만났다.

두 사람 다 여러 인연을 거치며 사람을 만나는 일에

굳은살이 적당히 생긴 나이였다.

나는 내가 처해 있는 어려운 상황을 남편에게 모두 얘기했다.

감당할 수 없다면 인연을 멈추는 것이 맞음을

우리 모두 아는 나이였다.

남편이 항복을 선언하고 물러났다면

마음은 슬프겠으나 이성적으로는 충분히 이해할 수 있었다.

그리고 내가 남편에게 신택권을 준 건 남편이 '착한 사람'이

아니라 '바른 사람'임을 알았기 때문이다.

남편은 착하진 않지만 자기가 정해 둔 인생의 지표들을 지키며 사는

바른 사람이다.

남편의 친구가 돈을 빌리려 할 때

남편이 착한 사람이라면 자신이 가진 것을 모두 내어 어떻게든 도우

려 하겠지만, 남편은 아무리 친한 사이라도 설사 그것이

사랑하는 나일지라도 그렇게 하지 않는다.

단칼에 잘라내는 단호함이 있다.

하지만 자기가 감당할 수 있는 수준이라는 판단이 서면

그냥 준다는 마음으로 돈을 내어주고 그 돈에 대해서는

다시 생각하지 않는다.

착한 사람과 바른 사람의 기준이 참 애매해 보이지만,

둘은 확실히 차이가 있다. 그리고 결혼 상대자로는 착한 사람보다

바른 사람을 만나야 함에 나는 분명한 확신을 가진다.

바른 사람은 그 사람의 반듯함이 나를 긴장하게 하고

나 역시 바른 사람으로 살게 한다. 결국 그 사람에 대한 애정이

잘 보이고 싶은 마음을 부채질해서 그런 것 같지만

의도야 어찌되었든 나 역시 바른 사람이 되어간다.

결혼 전 남편에게 나는,

그 사람이 스스로 설정해 둔 인생 지표의 많은 부분에

경고음을 울리는 존재였지만

남편은 결국 나와 함께 하는 인생을 선택했다.

"걱정도 되고 무섭기도 한데 그래도 네가 없는 것보단 나을 것 같았대."

결혼 후 시간이 흘러 친구가 전해 준 말이었다.

감정에 충실한 그 결론에 이르기까지 얼마나 많이 고민하고

힘들었을지.

돌이켜 보면 그때 남편도 이제 막 사회생활을 시작한 어린 나이였다.

저렇게까지 생각한 걸 보면 남편이 날 쫓아다닌 것이 맞는 것 같은데

물어보면 또 절대 아니라고 하겠지.

남편에게 '직접' 전해들은 나와 결혼을 결심한 이유는

"저거 나 없으면 어디 가서 사람 구실도 못할 것 같은데,

내가 거둬야지 이쩌겠냐."였다.

남편의 이유가 뭐였든 간에 내가 결혼을 결심한 이유는,

남편이 착한 사람이 아니라 바른 사람이기 때문이었다.

그리고 그 선택에 아직까진 후회가 없다.

그렇게 눈이 부시다

한 겨울의 끝,

봄이 시작하려 하던 어느 날

겨우내 얼어붙어버린 강 위에서

발밑으로 녹아 내려가는

살얼음의 아슬아슬한 두려움과

머리 위로 쏟아져 내리는

봄 햇살의 따뜻함 사이에

한숨 한 번에도 쩍쩍 갈라져

차가운 밑바닥으로

나뒹굴 줄 알면서도,

속수무책

녹아내려 날 집어삼키길 기다리고 있을 순 없었다.

발을 내디뎌

한 발 한 발 내디뎌

온전히 따뜻하기만 한 저 햇살 아래 서야지

그렇게 용기를 내어 걸어 나가니

당신을 만나고

우리의 아이를 만나

이제는 꽃이 지천이다.

반짝이는 강물의 윤슬인지 꽃인지

그저 지천으로 눈이 부시다.

천생연분

결혼 전, 비행을 마치고 인천공항에 도착했더니,

후배의 남자친구가 그녀를 기다리고 있었다.

후배의 손에서 무거운 캐리어를 넘겨 받아 에스코트 하듯 데려가는

모습을 보며 부러운 마음이 샘솟는 건

어쩔 수 없는 여자의 마음인가 보다.

 남자친구는 (지금의 남편은!) 본인의 차로 나를 인천공항까지

출근시켜 주거나 데리러 올 때 드는 기름 값과

톨게이트 비용을 생각해본다면,

내가 혼자 공항버스를 타고 출퇴근 하는 것이

훨씬 경제적이라는 논리로 나의 부러움을 철없게 여기곤 했다.

맞는 말이라 반박할 수 없다는 것이 더 서글펐다.

어느 날은 괜스레 흘리듯 후배 이야기를 꺼내며

부러운 마음을 내비쳤더니 이 남자가 웬일로 다음 날

새벽 출근인 나를 데려다주러 오겠다고 한다.

추운 겨울 날, 스타킹에 구두를 신고 버스 정류장까지

무거운 캐리어를 끌고 가야 하는 출근길이었기에

어찌나 반갑던지 다음 날 기상 시간이 새벽 세 시였는데도

개운한 기분이었다.

시간 맞춰 나를 데리러 와 캐리어도 들어주고

차 트렁크에 캐리어를 착착 집어넣는 남자친구의 모습은

듬직하기 짝이 없었다.

게다가 차 안은 히터를 미리 틀어놓아 따뜻했다.

그렇게 우리는 출발!

해가 뜨기 직전인 푸른 새벽, 내가 사는 건물 옆 공원을 지나

공항 방향으로 가던 차가 갑자기 멈춰 선다.

"응? 왜 멈춰?"

"버스 정류장 다 왔어. 내려~"

"응? 나 데려다 준다며."

"응? 버스 정류장까지 데려다 준다는 거였는데?

나도 출근해야지~."

해맑게 웃으며 말하는 모습에 웃음이 터져 나왔다.

걸어서 십 분 거리인 버스 정류장까지 태워다 주려고

이 새벽에 우리 집까지 왔나.

차 트렁크에서 캐리어 끄집어 내리는 게 더 힘들다 이 인간아!

어처구니가 없어 웃음밖에 나질 않았다.

비행 중, 출근길의 이 어이없는 에피소드를 얘기해 주었더니

듣고 있던 선후배들이 모두 그게 웃을 일이냐며,

화를 냈어야지 왜 가만두었냐고 난리다.

나는 그저 너무 웃겨서 둘이 한참을 웃다 헤어졌다 했더니

끼리끼리 만난다고 천생연분이라며 다들 고개를 저었다.

지금도 "나도 출근해야지~." 하며 해맑게 웃던 모습이 선명하다.

어이가 없는 와중에도 애정이 생기는 것,

이런 걸 두고 천생연분이라고 하는건가 싶다.

함께 건너야 할
돌다리

8월에 결혼하여 두 달 뒤인 10월에 아이가 생겼다.

언제쯤 아이를 갖자 하는 계획 없이

우리에게 주어진 대로 감사히 받아들이자 했던 터라

어느 날 갑자기 찾아와준 기쁜 소식을 만끽했다.

그것이 우리 부부의 첫 번째 실수였다.

 우리는 한 생명을 책임져야 하는 부모의 자리에 대해

더 깊이 고민하고 계획을 세워야 했다.

돌다리도 두들겨 보고 건너라는데 우리는 한 번만 내디뎌도

푹푹 꺼져 사라져 버릴 거품다리 위로 철없이 뛰어들었을 뿐 아니라

다리 너머 무엇을 위해 다리를 건너는지조차 생각하지 않았다.

임신을 하면 여러 안전 문제로 인해 비행이 불가한 탓에

나는 바로 산전휴직에 들어가 직장을 쉬게 되었다.

산전휴직과 육아휴직을 합쳐 2년 동안의 백수 생활이 시작되었다.

스무 살에 이미 경제적으로 독립하여 10년을 살았던 나였기에

남편에게 매달 생활비를 타 쓰는 생활이 어색하고 불편했다.

결혼한 지 두 달밖에 안 되어 부부라는 느낌보다는

아직도 남자친구 같았고 우리의 돈이 아니라 남편의 돈을

얻어 쓰는 기분에 나 혼자 괜히 눈치가 보였다.

그렇게 우리 부부의 경제권은 자연스럽게 남편이 갖게 되었고

(백수인 나는 권리를 주장할 경제권이 없다 생각했다.)

경제권에 관한 고민과 의논 없이 그렇게 구렁이 담 넘듯 지나가 버린

우리의 신혼생활의 나비효과는 생각보다 너무나 가혹했다.

그 징조는 나의 복직과 함께 찾아왔다.

백수로 지낸 2년의 시간이 끝났고 드디어 다시 나의 월급 통장에

돈이 들어오기 시작하면서 숨통이 트이는 기분이었다.

사실 남편은 우리 집에 필요한 것, 나와 아이가 필요한 것들은

아무리 비싸다 해도 내 의견을 존중해 사 주었고

생활비도 부족함 없이 주었지만 혼자 사는 것에,

그리고 내가 벌어 내가 쓰는 것에 익숙한 나였기에

신랑에게 고마우면서도 미묘하게 불편한 시간이었다.

그러다 나의 월급 통장에 내 노동의 정당한 대가가 입금되면서

불편하고 묘한 감정에서 탈출하게 된 것이다.

하지만 나의 경제 독립 만세는 그리 오래가지 못했다.

우리 부부의 동상이몽이 전쟁의 시작을 예고했다.

 남편은 나의 복직과 함께 늘어난 '우리' 집 수입을 고려하여

나름의 계획을 세웠다.

나는 나의 복직과 함께 드디어 다시 독립한 '나'의 경제권에

환호하며 나름의 계획을 세웠다.

'함께' 하는 가족에 익숙하지 않은 '나'와

'함께' 하는 가족에 익숙한 '남편'이었기에

우리는 그렇게 동상이몽에 빠지게 된 것이다.

남편의 어린 시절은 할아버지, 할머니, 부모님과 누나 두 분,

거기에 삼촌들까지 함께 살았던 대가족이었다.

삼촌들이 독립하기 전까지 시어머니가 하루 세 끼 20인분이 넘는

식사를 매일같이 차리셔야 했다고 한다.

그런 대가족 안에서 남편은 너무나 자연스럽게 검소하게 아끼며

살아가는 생활방식이 몸에 배게 되었다.

반면, 나의 경제관념은 하루하루 버티는 쪽이었다.

쉴 새 없이 날 몰아붙이는 독촉들 중 하나를 잘 넘기면

날카롭게 긴장되던 마음이 스르륵 누그러지며 보상심리가 생기고,

여태껏 고생했는데 나를 위해 한 번쯤! 하는 생각이 들게 된다.

해가 뉘엿 넘어가려하면 나는 온 집안의 불을 다 켜고 돌아다니고

남편은 온 집안의 불을 다 끄고 다닌다.

전기세 그거 얼마나 나온다고 좀 밝게 살자 하면

남편은 그 작은 것들이 모여 큰돈이 된다고 잔소리하며

마지못해 가장 어두운 형광등 하나를 달칵 켜준다.

우리 두 사람의 너무나 다른 가정환경과 경제관념이

핵폭탄급 전쟁의 서막을 열었다.

복직 후 두 달 뒤쯤 남편이 경제권을 합치는 문제를 얘기했다.

나는 그렇다면 내가 관리를 하겠다 했다.

사실 돈 관리는 나보다 남편이 더 잘할 거라는 건 나도 알고 남편도

알고 우리 부부를 아는 모든 주변 사람들이 아는 사실이다.

하지만 사실 여하와 상관없이

30년을 살아 온 나의 생활방식을 바꾸기란 쉽지가 않았다.

좀처럼 좁혀지지 않은 의견 차이 탓에 우리는 제법 크게 싸우게 됐다.

나는 결혼 전, 가난하고 무정했던 부모님으로 인한

이런저런 돈 문제들로 시달려 온 트라우마 탓에

남편과의 이런 의견 충돌이 힘들고 괴로웠다.

결국 남편 입에서 회사를 그만두란 말까지 나오게 되고

그 한마디 말에 내 마음속에서 툭 하고 무언가 끊어져

우르르 무너져 내렸다.

"오빠가 뭘 알아. 내가 얼마나 힘들게 대학에 입학하고 공부하고 졸업

했는지. 회사에 들어가기 위해 얼마나 노력했는지.

오빠는 내가 그렇게 힘들게 노력했던 시간 중 단 일 분도 곁에서 본
적이 없잖아. 오빠가 뭔데 나한테 회사를 그만두라 마라 정해줘.
나한테 그걸 정해 줄 수 있는 사람은 아무도 없어.
여기까지 오로지 나 혼자 왔으니까. 나만 결정할 수 있는 문제야.
이건 오빠도 심지어 내 자식이라 해도 나한테 그럴 수는 없어."

이성의 끈을 놓치고 울면서 쏟아내는 나의 말을
남편은 굳은 얼굴로 듣고 있었다.
내가 하는 말 역시 명징한 사실들이었지만
그것과는 상관없이,
35년 동안 남편이 살아온 삶의 방식이 그것을 이성적으로
받아들이지 못하고 있었다.

결혼 후 아이를 낳기 전 우리가 충분히 고민하고 계획하고
대화를 나눴다면 이렇게까지 크게 충돌하진 않았을 것 같다.
결혼을 앞둔 후배들이 결혼식장이나 신혼여행지에 대해
고민하고 있을 때 나는 우리 부부의 전쟁사를 이야기 해준다.

정말 현실적인 문제들을 고민해야 한다고.

이런 고민이 다소 속물적인 듯 보여 영화처럼 아름답기만 할 것 같은

결혼의 빛을 잠시 가리더라도, 그래서 불편한 대화가 된다 하더라도

결혼 상대자와 꼭 고민하고 대화할 것을 권한다.

우리 부부는 다행히 종전을 선언하고 평화통일에 합의했다.

이번에도 역시 나보다 500살쯤 어른스러운 남편이 한 발,

아니 열 발 정도 물러나 나를 이해해 주었고

각자의 경제권을 인정했다.

사실 남편은 아직도 완전히 나에게 동의한 것은 아니다.

다만 최선이 아닌 차선을 선택하는 것이 오히려 우리 부부를 위한

일이라면 그렇게 하는 것이 옳다고 여겨 물러나 준 것이다.

결혼 후 일 년이 가장 많이 싸우는 시기라는데

일찍 찾아 온 우리 아이 덕에 우리는 나의 복직 후 일 년이

가장 힘든 시기가 되었다.

남편은 아이를 가진 나를 배려하느라,

그리고 나는 홀로 돈을 버는 남편을 배려하느라 미뤄왔던

하루하루가 해결되지 못하고 쌓인 탓이다.

비록 아무 대비 없이 거품다리를 건너다 물에 빠져 허우적대며
힘든 시기를 겪었지만 발버둥치던 와중에도 서로를 의지해
돌다리 하나를 놓아 함께 올라섰다.

이제는 우리 두 사람만의 문제가 아니였기에 무엇보다 더
신중하게 올라서야 했다.

우리 부부는 조금 늦게 깨달아 힘든 시기를 보냈지만
이제 시작하는 모든 새내기 부부들은
지금부터 함께 살아가야 하는 적어도 60년의 시간을
무겁게 바라보고 고민하기를.

60년!
너무나 길고 너무나 찰나의 시간임을
지나고 나서야 깨닫지 않기를.

용서

일 년에 꼭 한두 번은 남편과 크게 다투는 일이 생긴다.

내가 이 일을 가지고 화를 내면

저 사람은 이렇게 대답을 하며 화를 내겠지.

눈앞에 빤히 그려지는 우리의 답답한 대화가 미리부터

나를 힘들게 하는지라 웬만한 일은 그냥 지나가는데

그래도 일 년에 한두 번은 꼭 싸울 일이 생긴다.

매번 새삼스럽게 놀라지만 우리 두 사람은 정말 정반대다.

뭐 하나 비슷하고 닮은 구석 없이

사고방식, 생활방식 모든 것이 다르다.

그럼에도 다투는 일이 일 년에 한두 번 정도면 그럭저럭

잘 지내는 부부라 생각한다.

나보다 다섯 살 많은 남편은

나보다 500살 정도 어른스럽고

나보다 50살 정도 속이 좁다.

내가 어찌할 수 없는 나의 가족문제로 꼬이고 비틀려 버린

나의 속내를 나조차도 포기했을 때 남편은 500살 먹은

노인의 모습으로 내 슬픔에 면류관을 씌워 주웠다.

내가 비행을 나가 신랑이 독박육아를 했던 어느 주말,

남편은 말도 안 되는 트집을 잡아 짜증을 부리며

애 보는 일이 힘들어 이러는 건 아니라며

5살 먹은 어린아이의 모습으로 눈에 빤히 보이는 투정을 부리기도 한다.

다채롭기 짝이 없는 이 사람과 살다 보니 지루할 틈이 없다.

서로 너무나 다른 우리 두 사람이 다만 서로에게

용서를 구할 줄 아는 그런 사람들이기를 바란다.

어차피 우린 죽을 때까지 다른 사람들이니

다른 모습에 잠시 화를 냈다가도

후회하고 서로를 용서하는 사람들이기를 바란다.

씨앗

씨앗은 바람의 머무름을 느꼈다.

바람은 조용히 씨앗을 키워냈다.

빨리 꽃을 피우라 씨앗을 다그치지도 않았다.

그저 씨앗을 덮고 있던 흙을 살랑살랑 건드리며

씨앗이 얼굴을 내밀어주길 기다렸다.

씨앗이 얼굴을 살포시 내밀자 새싹이다.

바람의 마음은 기쁘고

바람은 더욱 달콤해졌다.

바람이 감싸 안은 새싹이 향기롭다.

새싹이 움튼다.

새싹이 바람을 가득 끌어인으니 꽃봉오리다.

향기가 절정이다.

바람은 조용히 그저 머물렀다.

씨앗은 그에게 온 생애이자 사랑이었다.

3장 *Take-Off*

Take-off

바퀴를 떼야 하늘로 간다

비행기가 이륙을 시작하고

비교적 안정된 고도에 진입하기까지

약 삼십 분의 시간.

활주로를 달리는 비행기의 덜컹거림을 고스란히 느끼고

비로소 비행기가 이륙을 위해 떠오르면

바퀴는 지면에서 멀어지고

급격히 기울어지는 기내 안의 모든 것들이

불안정한 상태가 된다.

흔들리고 불안정한 그 순간이

사실은 비행시간을 아울러 가장 설레는 시간이다.

빠르게 멀어지는 지면이 점점 장난감처럼 작아지고

창문 밖으로 구름이 빠르게 스쳐 지나가면

흔들려 두려운 와중에도

드디어! 나는 떠나고 있다.

이러나저러나

아이가 출근하는 나를 붙잡고 갈 거면 자기도 데려가라며,

비행 캐리어 안으로 비집고 들어가려 할 때마다

마음속은 엉망진창 죄책감으로 무거워지는데

겉으로는 담담한 표정으로

"울어도 소용없어 시하야.

시하가 어린이집을 꼭 가야 하는 것처럼

엄마는 비행기 타는 게 엄마가 꼭 해야 하는 일이야."라고 말하며

아무렇지도 않게 "다녀올게." 인사를 한다.

아이 앞에서 미안한 기색을 내비치지 않으려 부단히 애를 썼다.

그렇게 삼 년을 지내니 아이도 담담해졌다.

엄마는 비행기 타는 사람.

세 밤은 할머니 집에서 자는 날.

그렇게 받아들이게 되었다.

그리고 여전히 속으로만 죄인인 엄마는

담담해진 아이 모습에 또 속이 쓰리다.

이러나저러나 아이가 어른이 되어도

속 끓이는 엄마 마음은 나아지질 않을 것 같다.

일하는 엄마의
성장통

한번 열이 오르면 사나흘은 쉽게 열이 잡히지 않아

두세 시간에 한 번씩 아이의 열을 재고,

너무 높아지면 해열제를 먹이고

열이 떨어질 때까지 물수건으로 아이의 몸을 닦아준다.

밤새도록 행여나 나도 모르게 깊이 잠들어

아이의 기척을 놓칠까 걱정이 되어

두 시간 간격으로 알람을 맞춰 두고

열을 재고 물수건으로 닦기를 반복한다.

그렇게 밤을 지새우고 비행을 나가는 날이면

휘청휘청 눈앞이 까매지도록 현기증이 나서

정신 바짝 차려야지 하며 서비스 내내 스스로를 다잡는다.

그러다 첫 번째 서비스를 끝내고

레스트(Rest, 승무원이 장거리 비행 중 휴식하는 것)를 위해

벙커(Bunker, 승무원이 휴식하는 장소)에 들어가 좁은 침대에 몸을 뉘이면

담요를 싼 비닐커버를 벗길 틈도 없이 곯아떨어져

배 위에 비닐 커버에 싸인 담요를 올려만 둔 채 잠이 들고 만다.

한 시간 내지 두 시간의 레스트 동안 어찌나 단잠을 잤던지

내가 코 고는 소리에 내가 깨어나 민망한 순간을 맞이하고

그 다음은 같이 레스트하는 승무원들에게 죄송한 마음이 든다.

너무 조용해서 기침 소리도 조심스러운 벙커 안에서

코 고는 소리라니!

남편 말로는 애 낳고 나니 코를 골기 시작했다는데

코도 노화가 되어 그런 건지 애 키우는 일이 너무 피곤해 그런 건지.

조심한다고 하는데도 아직도 가끔 레스트 중 코 고는 날이 있는 것 같

다. (깊이 잠이 들어 추측만 할 뿐이다.)

이제서야 동료들에게,

그리고 나대신 오해 받으셨던 남자 사무장님께 고백한다.

벙커 안 우렁차던 그 코고는 소리는 사실 나였노라고.

엄마가 되어 가느라 겪는 성장통이 코로 왔다 여기고

부디 이해해 달라고 말이다.

한번 잠들면 여간 해선 잘 깨지 않고 아침까지 달게 자는 아이가

어느 밤은 제 침대를 벗어나 내 품을 찾아 파고들었다.

꼭 안아주었더니 아이의 몸이 뜨끈하게 열이 난다.

열 감기가 무언지도 모르는 아이가 제 콧구멍에 들락거리는 숨이

여느 때 같지 않게 뜨끈뜨끈하니 내심 놀라 연신 숨을 깊게 몰아쉬고

내뱉으며 꼼지락 꼼지락 엄마 품으로 파고들었나 보다.

삼 일 밤낮을 오르락내리락 하며 아이와 나를 잠 못 이루게 하던

열 감기가 지나가자 그 자리에 발갛게 열꽃이 찾아 왔다.

"아이구, 우리 강아지 열꽃이 생겼네."

울긋불긋한 아이의 몸이 짠하니 마음 아파 내뱉은 내 말을 듣고는

아이가 환하게 웃으며

"엄마! 시하 몸에 꽃이 피었어?" 한다.

그저 꽃이 피니 좋은 천진함이다.

"응, 시하 아야아야하게 했던 감기가 시하야 아프게 해서 미안해~하면서

꽃을 선물로 주고 간 거야."

짠하던 내 마음도 아이처럼 순수해 진다.

갑자기 서로가
낯설어질 때

아이를 가지며 갑작스레 백수가 되고 남편은 돈을 벌어오니

집안일과 육아는 내가 해야 한다는 혼자만의 부담감에

만삭의 몸에도 쭈그려 앉아 화장실 청소를 했다.

그러다 몸이 너무 무겁고 도저히 감당이 되질 않아

며칠 화장실 청소를 미뤘더니

아니나 다를까, 변기에 물때가 끼기 시작했다.

그것을 본 남편이

"우리 집 변기 고장 났나 봐. 이상한 때가 끼어있는데?"라고 말했다.

내가 몸이 무거워 며칠 화장실 청소를 하지 못해 그렇다고

했더니 남편이 놀란 표정을 지으며,

"어? 이상하다. 나 결혼 전엔 청소 같은 거 한 번도 안 했는데? 그래도

저런 때 안 끼던데? 변기 고장인 거 같은데?"라고 말하는 것 아닌가.

이게 무슨 소린가 잠시 잠깐 앞뒤를 정리 해 보았다.

아차! 싶어지며 깔깔깔 웃음이 터져 나왔다.

결혼 전까지 계속 부모님과 살았던 이 남자는

화장실 청소를 할 기회조차 없었던 것이다.

그리고 워낙 깔끔한 성격이신 시어머니는

매번 샤워하실 때마다 화장실 청소까지 하시고 나오시니

물때가 낀 변기를 봤을 리가.

이번 사태로 나는 나대로 내 남편이

온실 속 화초였다는 걸 깨닫고 충격이었는데,

남편은 남편대로 내가 만삭의 몸으로

그 동안 화장실 청소를 해왔음을 알고 충격을 받았단다.

그렇게 또 우리 부부의 양파껍질이 한 겹 벗겨졌던

충격의 날이었다.

먹고 싶을 때 먹고,
자고 싶을 때 자고

승무원으로 살며 불규칙한 생활에 몸이 익숙해졌다.

이런 생활을 버틸 수 있게 한 건

자고 싶을 때 자고 먹고 싶을 때 먹는 것에

충실했기 때문이었을 것이다.

밤샘 비행 후에 하루를 꼬박 자기도 하고

새벽 세 시에 겨우 일어나 허기를 때우기도 한다.

사실 먹는 일보다는 잠에 많이 충실했다.

그렇게 살던 내가 눈도 겨우 뜨는 꼬물이를

어느 날 덜컥 품에 안게 된 후로는,

아이가 자고 싶을 때 그 곁에서 쪽잠을 자고

아이가 먹고 싶을 때 허기진 배를 애써 참다가

아이가 배부르면 그제야 허겁지겁 한 술 떠 넣었다.

자고 싶을 때 자고 먹고 싶을 때 먹는 것에 충실하지 못했더니

몸이 먼저 무너져 내리고 마음이 무너져 내리더니

이내 엄마라는 자리가 버겁게 느껴졌다.

그렇게 나에게 찾아 온 산후우울증은

많은 이유가 덩어리져 있었겠지만, 지금 와 돌이켜 보면

결국 본능에 충실한 것조차 내 맘대로 하지 못함에

무너져 내렸던 것 같다.

그리고 그까짓 이유로 무너져 내리는

나 자신이 한심해

스스로 기어들어간 자존감의 바닥은 최악이었다.

아이를 낳고 일 년. 삼십 년 내 인생에 처음으로

내 마음대로 되는 일이 단 하나도 없던,

너무나 새로운 경험이자 너무나 새로운 카테고리의 좌절이었다.

노력해도 안 되는 일이 있음을 깨닫고

그 사실을 담담하게 받아들일 수 있기까지

아이와 내가 함께 폭풍처럼 시행착오를 겪어 내던 시간이었다.

그리고 그 폭풍 한가운데서

휘청휘청 뽑히려는 뿌리를 간신히 붙잡는,

여린 나무처럼 견뎌내던 것이 아이 아빠였다.

모두가 처음이었던 그 시간.

숨이 턱 하니 막히도록 힘든 그 시간을

온 힘을 다해 간신히 지나고 나니 모든 순간이 사랑이고, 전우애다.

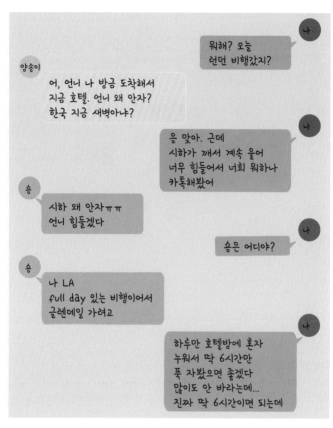

나
뭐해? 오늘 런던 비행갔지?

양송이
어, 언니 나 방금 도착해서 지금 호텔. 언니 왜 안자? 한국 지금 새벽아냐?

나
음 맞아. 근데 시하가 깨서 계속 울어 너무 힘들어서 너희 뭐하나 카톡해봤어

송
시하 왜 안자ㅠㅠ 언니 힘들겠다

나
송은 어디야?

송
나 LA full day 있는 비행이어서 글렌데일 가려고

나
하루만 호텔방에 혼자 누워서 딱 6시간만 푹 자봤으면 좋겠다 많이도 안 바라는데... 진짜 딱 6시간이면 되는데

두 시간에 한 번 수유해야 하는 탓에 잠깐 눈만 붙이는 정도로 자야 했다.
젖니가 올라와 아이가 잠을 못 자고 밤새 울 때면 그나마도 자지 못하고
하루를 꼬박 못 자는 날도 있었다.
지치는 그 새벽. 아이 아빠마저 잠든 그 새벽에도 런던에서 혹은 LA에서
새벽이 아닌 시간을 보내는 동료들이 있어서
언제든 위로를 받았다.
승무원들의 카톡방은 잠드는 시간이 없었다.

벙커 안에서
엄마가 된다

비행기 문이 닫히고 활주로를 지나 비행기가 이륙하게 되면

목적지에 도착해 땅에 닿기 전까지 오로지 하늘 위의 시간이다.

나의 아이에게 닿을 길이 없는 그 시간 동안

나는 애써 걱정을 억누르며 엄마로서의 나를 내려놓고

승무원으로 하늘길을 걷는다.

그러다 까맣고 좁은 벙커에 누웠을 때 시계를 보고

'아이가 이제 저녁 먹을 시간이구나.' 짐작하며

야무지게 숟가락으로 밥을 뜨는 아이의 모습을 상상한다.

그리고 어쩔 수 없이 가슴 한쪽이 아릿해지고 만다.

전화도 문자도 할 수 없는 열두 시간의 비행시간 동안

나의 아이에게 무슨 일이 생겨도 나는 알 길이 없다.

그런 생각이 문득 떠오르고 나면 차갑게 소름이 올라오면서

그래 이 비행만 끝내면 회사를 그만두자 마음을 먹었다가

…먹었다가,

또… 먹었다가.

그 먹은 마음이 체하듯 명치에 얹혀

왈칵 눈물이 쏟아지고 만다.

까맣고 좁은 벙커 안에서

내가,

엄마가 되고,

외로워지고,

마음은…

번잡스러워 진다.

한 달의 반은 집을 떠나 비행기 안에 있거나

어느 도시의 작은 호텔방에 머무른다.

못 견디게 네가 보고 싶어 지는 순간.

사진첩을 뒤적여 네 사진을 보다 보면

나 혼자 울다가 웃다가 서너 시간이 훌쩍 지나간다.

사진첩의 너를 어루만지다 고개를 문득 들어보니

호텔 창문 밖으로 어스름이 짙어져 오고 괜히 휴대폰만 만지작거린다.

그 투박한 것이 네 손과 같을 리 없건만.

어스름 뒤에 외로워질 시간이 두려워

초조해지는 내 손 끝자락이

있을 리 없는 네 온기를 찾아 더듬는다.

서글픈 죄책감

지은이는 회사에 입사하면서 만난 마음을 많이 내어 준 동기다.

내가 아이를 낳고 얼마 되지 않아 지은이가 결혼을 했고

아이를 갖는데 어려움을 겪었고, 힘든 난임 치료를 거쳐

아이를 얻었다. 무려 쌍둥이를!

아이를 낳고 몇 개월이 지나 지은이의 집을 찾았다.

첫 아이를 낳은 모든 엄마들이 그렇듯

지은이의 몸과 마음은 지칠 대로 지쳐있었고

그리고 익숙하고 서글픈 죄책감을 보았다.

이미 내가 겪어보았고 지금도 문득문득 고개를 내미는

내 아이가 나보다 나은 엄마를 만났더라면! 이라는 죄책감.

아이를 위해 모든 것을 참고 견디기에는

나는 아직 나의 일을 놓고 싶지 않았고

바람이 솔솔 드는 어느 가을 낮에 늘어지게 낮잠을 자고 싶었다.

이 사소한 바람들이

너무나 사치스럽고 이기적인 모습으로 보이게 하는

엄마라는 자리가 버거워

아직 말도 트이지 않은 나의 아이 앞에서

울고,

소리지르고,

무너졌던 것이 몇 번이었던가.

 그 뒤로 찾아오는 허탈함과

그럼에도 엉금엉금 기어와 내 가슴으로 파고들어 안기는

너무나 작고, 말도 안 되게 사랑스러운,

내가 세상의 전부인 나의 아이를 보며

그렇게 서럽디 서러운 죄책감이 드는 것이다.

이 못난 죄책감은 아이를 혼내다 짐짓 으름장이 되어

"너 그러면 하영이 집으로 보낼 거야!

하영이 엄마 딸 해! 엄마는 하영이 엄마 할 거야!"라며

쏟아져 나오고 만다.

나에게 안겨 들어와, 울면서 "아니야! 엄마 딸 할 거야!"라고

말하는 아이에게서

그렇게 또 위로 받고,

서글픈 죄책감을 다독임 받고

이렇듯 또 아이가 나를 키워내는 순간을 맞이하는

아직도 어른이 되지 못한 엄마가

'나'였고,

또 지은이었다.

우리는 아이를 낳아

그제야 비로소 어른으로 가는 시간을 살아가는 것 같다.

힘내자 동기야.

우리도 언젠가는

진짜 엄마가 되겠지.

앞으로도 그렇게

지금까지 다니던 어린이집이 다섯 살 반까지만 운영해서

여섯 살이 된 아이는 새로운 어린이집으로 가게 되었다.

3년 가까이 다니던 어린이집을 떠나

새로운 친구늘, 새로운 선생님과 함께

낯선 장소에서 적응해야 할 아이가 걱정되어

어린이집 안으로 들어가는 아이의 뒷모습을 한참이나 바라보았다.

 오늘따라 왜 이리 아이가 작아 보이는지.

몇 년 전 처음 어린이집이란 곳에 보내던 그날만큼이나

마음이 짠해져 왔다.

아이가 18개월쯤 되던 때 육아휴직을 끝내고 회사에 복직하면서

집에서 가까운 어린이집을 처음 가게 되었는데

아이가 자꾸 친구들을 꼬집어 선생님께 서너 번 연락을 받았다.

한번은 LA로 비행을 나와 있던 새벽녘에, 한국은 한낮이던 그 시간에

아이가 또 친구를 꼬집어 친구 얼굴에 상처가 났다며

선생님께서 친구 어머님의 연락처를 문자로 남기셨다.

LA는 새벽이었고, 오는 비행이 너무나 힘에 부쳤고

산 넘어 산. 아이의 싱징은 바람 잘 날 없으니 한숨과 함께

눈물이 왈칵 쏟아졌다.

어린이집을 운영하는 동안 이런 일이 처음이라 당황스럽다는

원장님의 말씀에 귓가가 뜨끈해지며

화가 나는 건지 서러운 건지 모를 감정이 목을 타고 내려와

온몸이 욱신욱신 아파왔다.

상처가 난 친구 어머니께 사과 문자를 드렸다.

해외에 있어 전화를 드리지 못하고

문자로 사과드림을 죄송하다 말씀드리니,

"아, 직장 다니세요? 어쩐지...... 괜찮아요, 앞으로만 주의해 주세요."

라고 답장이 왔다.

'어쩐지'에서 나는 고개를 떨구고

앞으로 어떻게 주의해야 할지.

떨군 고개에 막막함이 얹혀 짓눌렸다.

한국으로 돌아가는 비행기에 몸을 실었다.

마음이 천근만근 무거워 무게를 감당치 못하고

비행기가 떨어지는 것 아닌가 걱정이 될 정도였다.

한국에 도착해 어린이집을 찾아가 그만두겠노라 얘기했다.

어린이집을 안 보내면서 어떻게 비행 생활을 할지 막막했지만

아이의 잘못을 사랑으로 보듬어 바르게 이끌어 주고자 하는

마음이 없는 어린이집에 나의 아이를 맡길 순 없었다.

시부모님과 아이의 고모 두 분이 고생이 많으셨다.

손이 많이 가는 18개월의 아이를 내가 한번 비행을 나가면

꼬박 3박 4일 내내 돌보셔야 했으니 얼마나 힘드실지

죄송함에 비행기 안에서 내딛는 한 걸음 한 걸음이

가시가 박힌 듯 아팠다.

다행히 두 달 후 다시 좋은 어린이집을 만났고

아이는 그 어린이집에서는 한 번도 친구를 꼬집지 않았다.

그렇게 사랑이 많은 선생님과 친구들과 보냈던

그저 감사하기만 한 3년이었다.

나는 첫 어린이집의 기억들이 떠올라

어린이집 앞을 떠나지 못하고 한참이나 서성거렸다.

하원 시간에 이르러 다시 만나게 된 아이는

나의 걱정이 무색하게 하루 만에 제일 친한 친구를 만들었고

바깥 놀이 짝꿍은 또 따로 있다 하더니,

한 남자친구가 '어린이집에서 시하가 제일 예쁘다' 했다며

신나서 재잘거렸다.

시간이 흐르고

곁에서 지켜보기만 했을 뿐인데

아이는 대견하게 자라고 있었다.

이렇게 또 너를 홀로 내보내야 하는 숱한 날들이 있을 텐데.

나는 너를 지켜보며 오늘처럼 조용히 응원해야겠지.

너에 대한 걱정으로 분주한 마음을 감추고 잘 해낼 거라

그렇게 너를 믿으며 현명한 엄마의 모습으로 지켜봐 줘야 하겠지.

좋은 어른이
되어 볼 게

지나가던 행인과 부딪혀 그분께 '죄송합니다.'라고 했더니

곁에 서 있던 아이가 나를 바라보며

"엄마가 잘못한 거야?"라고 묻는다.

"응, 엄마도 저분도 서로서로 다 잘못한 거야."

대답해 주었더니

가만히 나를 바라보던 아이가

"엄마랑 아빠랑 전에 벌레 때문에 싸웠지?" 한다.

무슨 소린가 가만히 기억을 더듬어 보았더니

사소한 걸레 문제로 제법 크게 싸웠던

얼마 전 부부싸움을 이야기하는 듯했다.

아이에겐 걸레가 벌레로 들렸던 모양이다.

"응 그랬었지." 했더니

"그것도 엄마랑 아빠가 서로서로 다 잘못한 거야."라며

아이가 나를 빤히 바라본다.

유치하게도,

내 편을 들어주지 않는 아이에게 조금 섭섭한 마음이 들어

"그래도 아빠가 쬐끔 더 잘못한 것 같지 않아?" 했더니

"아니야."라며

그 작은 눈이 어찌나 단호하던지 가슴이 뜨끔했다.

세상 빛을 본 지 6년도 채 안 된 이 아이도 아는 것을

마흔이 다 돼가는 우리 두 사람이 몰라 서로를 아프게 했다.

아니 우리도 알고 있었지만 쉽게 외면한 것 같다.

 지금 저 사람에게 화를 내고 있지만

마음 한 구석에서는 나도 잘못이 있음을 알았다.

하지만 나 자신에겐 너무나 관대하게 그 사실을 외면했다.

나이를 먹어갈수록

나를 감싸고 합리화해 포장하기 바쁜 사람이 되어간다.

어느 날,

세상 빛을 본 지 6년도 채 안 된 아이가

나를 좋은 어른이 되도록 바로잡아 주었다.

3박 4일의 장거리 비행을 마치고 돌아 온 다음 날,

한가롭던 주말 한낮에 아이와 색칠놀이를 하고 있었다.

세탁기가 세탁을 다 마쳤음을 알리는 노랫소리가 울리자

남편이 일어나 세탁물을 꺼내어 건조기로 옮기던 중,

"아니 빨래랑 걸레를 같이 빨면 어떡해?" 하며 잔소리를 했다.

사용하고 따로 두었던 걸레가 세탁기에 빨래를 넣던 중

딸려 들어간 모양이었다.

"아니 내가 같이 빤 게 아니라 어쩌다 딸려 들어 갔나봐."

"걸레랑 같이 빠는 건 아니지. 다음부턴 조심해."

남편은 마지막 말을 하지 말았어야 했다.

"아니 나 3박 4일 비행 다녀 올 동안 빨래 한 번 안 돌렸으면서 조심해는

뭘 조심해? 내가 어제 비행 다녀와서 피곤해 죽겠는 몸으로 빨래를 몇 번

돌렸는지 알아? 그것도 모자라서 오늘 또 돌리고 있는 거야. 내가 진짜

말 해봐야 잔소리 같을 거 뻔해서 꾹 참았는데 거기다 대고 조심하긴 뭘

조심하래? 내가 진짜 어이가 없어서."

사실 어제 집에 도착해 쌓여 있는 빨래를 보고

화가 났지만 참았던 나였다.

참고 말자 하고 넘겼지만 마음속에 앙금이 남아있었나 보다.

그 다음은 결국 또 뻔한 레파토리의 연속이었다.

나는 뭐 놀면서 안 했냐. 그럼 나는 놀다 왔냐. 등등등…

지나고 보면 정말 너무 어처구니없을 만큼 사소한 문제인데

우린 그 사건으로 3일을 서로 말을 안 했다.

그 와중에 나는 잘못한 게 없다 자존심도 세웠다.

걸레 하나 때문에 말이다!

패션
테러리스트

아이가 자라면서 점점 자기주장이 강해지고

딸아이라 그런지 유독 옷 문제로 내 속을 썩였다.

딸 가진 엄마들의 로망이 인형 놀이 하듯

아이를 예쁘게 꾸미는 일인데 어찌나 자기주장이 강한지

자기가 원하는 옷이 아니면 고집스럽게 입질 않았다.

안 예쁜 옷이야 그러려니 하고 넘어 가는데

한여름에 털옷을 입으려 하거나

한겨울에 민소매 옷을 입겠다고 고집 부릴 때면

나도 모르게 속에서 천불이 끓어오르는 것을 느낀다.

내가 비행을 나가 없을 때면 아이는 더 고집스러워지고

아빠는 여간해선 아이를 이기지 못해

아이의 패션이 정말 눈뜨고 볼 수 없을 정도가 될 때가 많았다.

아이를 이기지 못한 아빠가

아이와 나를 영상통화 시키는 횟수가 많아지고

내가 영상통화로 아이를 혼내면

아이가 마지못해 입고 간다.

웬만한 옷은 본인이 원하는 옷을 입게 하려 하는데

추운 날 겉옷을 입으려 하지 않을 땐 감기에 걸릴까 걱정되어 엄하게

말해 어떻게든 입혀 보내려 한다.

내 맘대로 되는 자식 없다는 말을 이렇게 벌써 실감한다.

아이 옷 하나 입히는 일도 내 마음대로 되질 않는데

살면서 얼마나 많은 순간 그러할지 벌써부터 답답해져 온다.

아이도 하나의 인격임을 언제나 되새기고 존중하라 하는데

그게 참 말처럼 쉽지가 않다.

"저 아이 엄마는 애 옷을 왜 저렇게 입혀 나왔나 몰라.

한여름에 털부츠가 웬 말이야."라고 혀를 찼던

나의 과거를 반성한다.

그 엄마의 심정을 이제 백 번 이해한다.

내가 비행을 나와 아빠가 아이 어린이집 등원을 시키던 날

영상통화로 또 한 차례 겉옷을 입고 가지 않으려는

아이를 혼내고, 잠시 후 남편에게 카톡이 왔다.

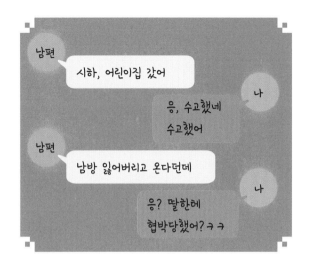

엄마한테 혼나 어쩔 수 없이 남방 하나 걸치고 가면서

그 어린 나이에도 자존심이 있어

아빠에게 그리 협박을 하고 갔나 보다.

퉁퉁 부은 얼굴로 잃어버리고 올 거라 말하는

아이가 떠올라 웃고

그 말을 듣고 어이없어 벙 쪘을

남편 표정이 또 생각나 한참을 웃었다.

다행히 그날 아이는 남방을 잃어버리지 않고 잘 입고 돌아왔다.

어린이집 가자마자 벗어 던지고 그새 잊어버렸나 보다.

날이 조금만
흐렸어도

전염병으로 온나라가 어수선할 때

수많은 나라, 수많은 사람들과 접촉할 수밖에 없는

승무원이라는 직업 탓에

어느 지역 일부 어린이집 학부모님들이 조심스럽게

승무원의 아이들은 어린이집 등원을 자제해 달라고 했다는

뉴스 기사를 보았다.

 그 길로 회사에 휴직 신청을 했다.

내가 사랑하는 일이지만

나로 인해 내 아이가 눈치를 보게 될까 마음이 아팠다.

아이를 어린이집에 등원시키면서 만난 선생님께서

"어머니 요즘 일하시는 건 어떠세요, 힘드시죠?" 하셨다.

순수하게 나를 걱정하는 말씀임을 알면서도

잘못하다 선생님에게 들킨 아이처럼

다급하게 변명처럼 쏟아냈다.

"2월부터 휴직하고 있어요. 혹시나 해서 휴직했습니다.

저 같아도 승무원 엄마라고 하면 학부모님들이 신경 쓰실 것 같아요.

혹시 걱정하시면 휴직 중이라고 걱정 마시라고 해 주세요, 선생님."

다급하게 쩔쩔매며 말하는 나를 안쓰럽게 쳐다보시던 선생님이

"어머니 왜 그런 걱정을 하세요. 시하가 자랑스러워하는 일을 하시는
데요. 시하가 친구들에게 매일 자랑해요. 우리 엄마 승무원이라고. 어
제도 승무원 놀이 했는걸요."라고 말씀해 주셨다.

사람 마음이 나이를 먹어도 이렇게나 여리다.

선생님 말씀 한 마디에 여섯 살 딸아이 옆에서

나 역시 여섯 살 아이의 어린 마음이 되고 말았다.

넘어져서 무릎이 까졌는데 마침 엄마가 보고 달려와

괜찮다며 다독거려주면 괜스레 서러운 마음이 북받쳐

구태여 울지 않아도 될 울음이 터져 나오는 것처럼,

여린 마음이 광대를 넘어 두 눈까지 달려가

넘쳐흐르려는 것을 겨우 가라앉혔다.

너무나 환한 봄날 아침이 아니라

조금만 날이 흐렸더라면

그래서 내 마음이 조금만 더 감상적이었더라면

선생님을 안고 왈칵 눈물을 쏟을 뻔 했다.

마스크를 쓰고 아이와 손을 잡고 걷다가

무심코 아이 손에 뽀뽀를 했더니

"엄마, 마스크 쓴 뽀뽀는 힘이 세지 않아." 한다.

힘센 뽀뽀를 해 주지 못해 미안해.

어른들이 미안해...

끝까지 들키지 말기

어른이 된 너의 모습을 상상해 보려 해도

도무지 그려지질 않는다.

어떤 어른이 되어 있을까.

어떤 생각을 가진 사람이 될까.

무엇을 잘하고, 무엇을 좋아하는 사람이 될까.

 도무지 그려지질 않는 너의 모습이

설레면서도,

싸한 바람이 불듯 가슴 한편에 걱정이 스며든다.

너를 키우며 느끼고 또 느끼고,

계속 깨닫게 되는 한 가지는

내 작은 행동 하나, 내 작은 목소리 한 번에도

너는 참 많은 영향을 받는다는 것.

네가 만약 무언가 잘못된 행동을 한다면

결국 그것도 다 나에게서 오는 것임을 안다.

그 사실이 설레면서도 두렵다.

나를 닮아갈 너의 모습이 설레면서도 두렵다.

어릴 적 내가 알던 모든 엄마들은 현명하고 차분하고

모든 것을 다 아는 지혜로운 사람들이었는데

내가 엄마가 되고 보니

내 마음도 여전히 너와 다를 바 없는 여섯 살이고,

그저 그것을 너에게 들키지 않으려 노력하고 있을 뿐이더라.

엄마는
어떤 사람이야?

색칠 공부를 하던 아이가 갑자기 고개를 들어 나를 보며

"엄마는 어떤 사람이야?" 물었다.

말문이 턱 막혔다.

살면서 한 번도 들어본 적 없는 질문이었고

생각해 본 적 없는 질문이었다.

 "엄마는... 음... 글쎄 엄마는 어떤 사람일까? 어리둥절한 사람?"

갑작스런 아이의 질문에 엉망진창으로 대답했다.

"아니 그게 아니라! 엄마는 뭐 하는 사람이냐고."

아...

내 직업이 뭔지 묻는다는 걸 어떤 사람이냐 그리 물었나 보다.

"엄마는 비행기 타는 사람이지. 승무원이야."라고 대답하고서도

괜스레 생각이 끊이질 않았다.

나는 어떤 사람일까.

한 마디로 나를 설명할 수 있을까.

멍하니 딴 생각에 빠진 내 얼굴을 양손으로 붙잡고는

"엄마, 비행기 타는 거 행복해? 그럼 나도 승무원 할래."라고 말한다.

그래, 나는

너의 엄마인 것이 행복한 사람,

비행기 타는 것이 행복한 사람,

나와 같은 일을 하겠다는 네 말에
자랑스러워지는 엄마.

나는 그런 사람인가 보다.

너와 안녕 인사를 하고 집에서 나선지

스무 시간 남짓 지나서야 호텔에 도착했다.

머리망이 터진 줄도 모르고

망나니처럼 정신없던 그날의 비행.

매번 이러다 죽을 것 같다 싶을 만큼 힘든데

그만두려 하면 눈물이 왈칵 날 것 같은

비행...

비행...

...........하늘.

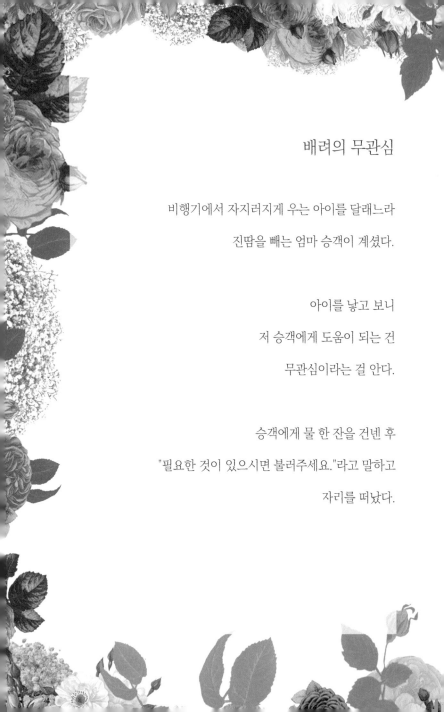

배려의 무관심

비행기에서 자지러지게 우는 아이를 달래느라
진땀을 빼는 엄마 승객이 계셨다.

아이를 낳고 보니
저 승객에게 도움이 되는 건
무관심이라는 걸 안다.

승객에게 물 한 잔을 건넨 후
"필요한 것이 있으시면 불러주세요."라고 말하고
자리를 떠났다.

공공장소에서 내 아이가 울 때

가장 힘들었던 것은

주변 사람들이 마음속으로 생각하는

혹은 주변 사람들이 마음속으로 생각할거라

내가 짐작하는 아이에 대한 질타와

내 아이를 문제 있는 아이로 볼 것만 같은 두려움이었다.

아이가 울어 힘든 와중에도

우리 아이가 오롯이 사랑만 받는 사람이면 좋겠다.

누군가 조금이라도

내 아이를 힐끗 불편한 시선으로 바라보면

내 몸이 데인 듯 아프다.

하와이 호텔에 도착해
유니폼만 겨우 벗어 던지고
한 숨 사고 일어나면
해가 뉘엿뉘엿 넘어가는
붉은 빛의 호놀룰루의 시간이 된다.

와이키키 해변에 홀로 앉아 즐기는
석양이 내려앉은 바다와, 기분 좋은 소란스러움.

이 맛에 비행하지.

4장 *In-flight*

In-flight

난기류를 만나지 않는

비행은 없다

이륙이 완료되고

비행기가 정상 고도에 진입하면

그때부터 오로지 하늘의 시간이다.

창문 밖 비행기 아래로 구름이 깔리고

밤이 되면 달을 머리 위가 아닌 정면으로 바라보는 시간.

그저 잔잔하기만 한 비행길이면 좋겠지만

비행기는 언제나 크고 작은 난기류를 만날 수밖에 없다.

좌우로 가볍게 흔들리는 난기류를 만나기도 하고

위 아래로 급격하게 흔들리는 심각한 난기류를 만나기도 한다.

하지만 그럼에도 우리는 순항 중이다.

흔들릴지라도 목적지를 향해 날아가고 있다.

세상에
작은 아이 하나가
태어나던 날

가만히 앉아 숨만 쉬고 있어도 땀이 줄줄 흐르던 여름.

진통이 시작되었다. 평소에도 웬만큼 아픈 정도는 남들보다

잘 참는 편이라 진통이 시작된 후에도

조금 더 기다렸다 병원에 가보자 했다.

진통이 와 병원에 가도 자궁문이 안 열려 집으로 돌아갔다는

출산 후기를 많이 본 탓이었다.

침대에 가만히 누워 있으려 해도 2분에 한 번씩

급격히 찾아 드는 통증에 나도 모르게 몸이 뒤틀렸다.

그런 나를 옆에서 초조하게 지켜보던 남편이 안 되겠다며

그냥 병원으로 빨리 가자 재촉했지만

나는 가 봐야 다시 집에 돌려 보낼테니

가만히 있으라고 짜증을 부렸다.

그 순간은 내 옆에서 누가 기척만 내어도 짜증이 치미는데

자꾸 말을 걸어와 남편은 평생 받을 짜증을 그날 다 받아냈다.

남편의 계속되는 재촉에 마지못해 병원으로 가 진료를 받으니

자궁문이 많이 열려 있어 바로 분만실로 옮겨졌다.

그 와중에도 남편은 그것 보라며 의기양양한 표정을

감추지 못해 나에게 또 잔뜩 혼났다.

분만실로 이동해 몸에 이것저것 의료장비를 부착하면서

간호사 선생님께서 설명을 해주셨다.

"이건 통증의 정도를 측정하는 기계예요. 1부터 9까지 측정되는데

사실 출산 시 느끼는 진통은 이 기계가 측정 불가한 정도라

저희는 9가 되어도 다른 조치를 취하는 바는 없으니

너무 놀라지 않으셔도 돼요."

간호사님의 안심을 시키려는 건지 겁을 주려는 건지

애매한 말씀을 들으며 기계에 측정되는 수치를 보니

통증 수치가 7이었다.

세상에! 앞으로 이보다 더 아플 수 있다니!

이미 빠르게 뛰던 심장이 급격히 더 빠르게 뛰기 시작했다.

그렇게 얼마 지나지 않아 통증 수치는 가뿐히 9가 되었고

간호사 선생님 말씀대로 9가 된 이후에도

진통은 끝을 모르고 더 심해져 갔다.

진통이 시작된 지 몇 시간이 지났는데도 소식이 없으니

걱정이 되신 시부모님께서 병원으로 찾아오셨다.

가족 분만실로 운영되는 병원이어서

시어머니가 분만실 안으로 들어오셨다.

이미 몇 시간을 진통에 시달려 지칠 대로 지친 내가

눈만 겨우 떠 바라보니

어머니께서 내 얼굴을 쓰다듬으시며

"많이 아프냐. 많이 아프지." 하셨다.

몸이 뒤틀리 듯 아픈 중에도 신음은 나와도 눈물이 나진 않았는데

어머니 손길 한 번에 눈물이 멈추질 않았다.

여자들이 아이를 낳을 때 엄마 생각이 그리 난다더니

인간의 보편적 감정에서 벗어나질 못하는 나의 평범하기 그지없는

인간성이 그 와중에도 원망스러워졌다.

시어머니의 주름진 마른 손이 내 얼굴을 쓰다듬을 때마다

서러움이 깊어졌다.

어머님의 손길에 세 아이를 낳아 기르신 세월을 느꼈다.

진통이 시작된 후로 내내 내 곁을 지키며 전전긍긍하던

남편보다 어머님의 손길 한 번이 더 큰 위로가 되었다.

남편이 곁에서 손을 붙잡고 "힘내! 할 수 있어!"라고 할 때마다

속으로는 '네가 한번 아파 봐라. 그런 소리가 나오는지.' 싶었는데

어머님의 손길은 달랐다.

어머님은 다 아시니까.

나를 온전히 이해하시고 얼마나 아플지 안타까워하시니까.

분만이 시작되면서, 본격적으로 간호사 선생님과 의사 선생님께

끊임없이 혼나는 시간이 되었다.

"산모님 소리 지르시면 아이가 다 들어요. 아이가 처음 듣는 소리가

엄마 비명 소리가 되면 안 되겠지요. 소리 지르지 마세요."

"산모님 힘 안주시면 애기 힘들어요. 힘 너 주세요."

"산모님 지금 애기가 더 힘들어요. 아프다고 엄살 부릴 시간 없어요."

아이를 걸고넘어지시니 선생님들의 질책을 서운해 할 틈도 없었다.

어찌나 단호하게 혼내시는지 아프랴 혼나랴 힘주랴

정신이 하나도 없이 흘러갔다.

내 정신이 아닌 상태로

제발 빨리 끝나라 제발 빨리 끝나라 마음속으로 빌다 보니

어느새 내 품에 앙앙 울어대는 작은 아이가 안겨 있었고

남편은 사진 찍으랴 아이에게 인사하랴 나에게 수고했다 다독이랴

혼자 분주했다.

그렇게 그날 세상엔 작은 아이 하나가 더 생겼다.

아이가 세상에 나오기 전, 나와 한 몸이었을 때

아이는 한 번도 빵빵 내 배를 찬 적이 없었다.

남들은 축구선수가 들어있는 것 아닌가

갈비뼈가 아플 만큼 빵빵 차기도 한다던데

나의 작은 아이는 단 한 번도 발로 차질 않았다.

그 좁은 배 안에서 이쪽에서 저쪽으로

서두르지도 않고 천천히 가만가만히 움직였다.

고요한 심해를 유려하게 헤엄치는 반짝이는 물고기의 몸짓처럼

그렇게 가만히 고요한 헤엄으로. 그리디 아이의 동그란 머리가 배 위로

쑤우욱 올라오면 조심스럽게 쓰다듬는다.

너도 기억하면 좋겠다.

너와 나의 고요한 그 만남.

나만 기억하기엔 너무나 설레는 그 순간.

출산 후 병실로 옮겨 회복하던 중 간호사 선생님께서

이런저런 사항을 안내해 주시려 병실에 들르셨다.

"영양제는 가격대가 이렇게 되는데요, 가장 싼 영양제가 이 가격이고,

가장 비싼 것이 이겁니다."

남편은 듬직하게 대답했다.

"전부 다 제일 좋은 걸로 해주세요."

그렇게 몇 가지 사항을 결정하고 간호사 선생님이 나가신 후

남편은 같은 회사 사람과 통화하며 울분을 토했다.

"내가 저 영양제 원가가 얼만지 다 아는데!!!"

의약품 관련된 일을 하는 남편은 간호사 선생님에게 '이것도 저것도 다

좋은 걸로 해주세요.' 하면서 쓰린 속을 부여잡아야 했다고 한다.

세 살 인생 첫 거절

어린이집을 다녀온 아이가 온 얼굴을 한껏 찡그리며 말했다.

"엄마! 연우가 나랑 손잡고 가기 싫대!"

아이가 생에 처음 겪는 호의에 대한 거절이었다.

"그래서 마음이 많이 속상했어?"

안타까운 고슴도치 엄마는 아이가 마음을 다쳤을까 안쓰러워 물었다.

"아니! 대신 진오가 내 손 잡아줘서 괜찮았어!"

호의에 대한 거절을 아이는 다른 호의로 위로받은 모양이었다.

아이의 대답에 가만히 아이를 안아주었다.

내 품 안에서 꼬물거리기만 할 것 같던 나의 작은 아이가

갑자기 쑥 자라 날아가 버릴 것 같아 잠시지만 꼭 잡아두었다.

비행이 힘들어 질 때면

언젠가 같이 비행했던 사무장님의 말씀으로 나를 다독인다.

승객들을 '내 아이다' 생각하면 힘들지 않다고 말이다.

아이가 배고파하면 맛있는 밥을 차려주고

아이가 아플 때 약을 챙겨주고,

행여나 어디 한 군데 다치진 않을까

걱정하고, 안전하게 돌봐주는 것.

결국 그게 비행의 전부라고.

아이 낳고 오면 천직인 것이 승무원이라더니,

나 역시 천직이 승무원이더라.

내가 사랑하는 도시
빈(Wien)

듀티로 근무하는 비행기에 처음으로 가족들을 동반했다.

비행 동안 행여나 아이가 주변 승객들에게 폐를 끼치진 않을까

걱정되어 온갖 색칠 공부와 인형 놀이를 준비하고

아이패드 용량이 넘치도록 영상물을 저장했는데도

전전긍긍 마음이 불안했다.

나는 비즈니스 클래스 근무인 탓에

일반석에 앉은 가족들을 들여다 볼 틈도 없이

10시간이 훌쩍 지나갔다.

착륙 직전이 되어서야 아이를 찾아갔더니

아이가 내 얼굴을 보고 화색이 되었다가

갑자기 눈을 피하며 어색하게 웃는다.

나중에 들으니 조용한 객실에서 아이가 반가운 마음에

엄마를 불러 승객들에게 불편함을 줄까 걱정한 아빠가

비행기에서 엄마라고 부르면 도깨비가 와서 엄마를 구름사이로

뚝 떨어뜨리고 간다고 겁을 준 모양이었다.

엄마를 하늘 위에 놓고 갈 수 없던 아이가

아는 척하고 싶은 기색을 애써 감추며

곁눈질로만 나를 바라보았다.

괜히 데려왔나.

저 어린 것을 눈치 보게 만들면서까지 올 만한 여행이었나.

살짝 후회가 들었지만 나 역시 눈짓으로만 인사를 하고

착륙 준비에 마음이 먼저 바빠져 듀티 클래스(Duty class, 승무원이 해당

비행에서 업무를 맡은 클래스)로 돌아갔다.

그렇게 도착한 겨울의 오스트리아 빈.

내가 너무나 사랑하는 도시였다.

남부 유럽이 숨이 멎을 듯 아름다운 절경으로 나를 압도할 때,

동부 유럽은 영혼을 지그시 눌러 앉혀

품위 있고 클래식하게 나를 압도한다.

내가 느꼈던 그 묵직한 도시의 분위기를

다섯 살 아이도 잔상처럼 기억에 남기길 바랐다.

하얀 눈발이 날리는 벨베데르 궁전의 정원을 지나고,

사방으로 나를 압도하는 연회장을 걷고,

클림트의 작품이 너무나 담백하게 전시되어 있는 미술관에서

삐그덕 삐그덕 나무 바닥의 소리를 음악인 듯 즐기며

그렇게 아이와 나의 영혼이 차분해지는 시간을 보냈다.

비엔나의 명소들을 둘러보는 것도 좋았지만

비엔나를 잠시 벗어나 슬로바키아에 들렀다.

마을 사람들이 꾸민 크리스마스 마켓이 한창이던

그 작은 동네를 둘러보다 보면 내가 그곳 주민인 듯 착각이 든다.

슬로바키아. 이름마저 회색 구름처럼 중후한 도시였다.

온갖 귀여운 캐릭터와 공주에 둘러싸여 사는 아이의 마음에

그렇게 중후한 어른의 도시를 한 자리 남겨두고 싶었다.

추운 겨울. 눈이 쏟아지는 날씨에 고생스럽긴 했지만

(한국에 돌아오는 비행 근무를 마치고 몸살이 나고 말았지만!)

지금도 다녀오길 잘했다 생각한다.

말 안 듣는 똥강아지

어느 날은 아이가 유난스럽게도 날 힘들게 한 날이 있었다.

한숨이 절로 푹푹 나오고 하루 종일 아이와 실랑이 하느라

온 몸이 노곤하니 피곤해졌다.

추운 날 패딩을 벗어 던지려는 아이에게 또 한 차례 호통을 치고

도깨비를 불러가며 협박 아닌 협박을 하고는

겨우 다시 옷을 입혀 아이를 안아 올리니

내가 자길 혼낸 걸 아는지 모르는지

아이는 그저 싱글벙글 장난꾸러기처럼 웃는다.

그게 또 어이없어 피식 웃어 보이자

아이가 내 두 볼을 부여잡고

"엄마! 시하가 엄마 딸이어서 고마워." 하며 잔망스럽게 웃는다.

마음이 뜨끔했다.

요 어린 것이 하루 종일 자기에게 짜증부린 걸 미안하라고

이러나 말도 안 되는 생각이 들었다.

"이 녀석아, 그건 엄마가 너한테 할 말이지.

넌 엄마가 시하 엄마라서 고마워 이렇게 말해야지." 했더니

오늘 유난히도 내 말을 안 듣던 고집쟁이 아이는

내 품에서 내려와 달려가며

"아니야! 시하가 엄마 딸이어서 고마운 거야!"라며 또 고집을 부린다.

그래, 듣고 보니 그 말도 맞는 것 같다.

시하가 엄마 딸이어서 고맙고

내가 너의 엄마여서 고맙다.

그렇게 모든 것이 고맙다.

무서울 만큼 내 성격을 닮은 아이가 안타까워

'성격은 제발 아빠 닮길 바랐는데!'라고 생각하면서 동시에

'내가 좋은 남자와 결혼했구나!' 하고 다시금 깨달아

새삼 남편이 애틋해졌다.

아빠가 되어도 남자

딸을 키우며 깨닫게 된 한 가지는 아이는 나이가 어려도 여자고

남편은 아빠가 되어도 남자라는 사실이었다.

아기 때부터 울음 끝이 길지 않던 아이는

다섯 살을 지나 여섯 살이 되면서 우는 일이 거의 없어졌다.

그런 아이가 서럽게 울며 나를 찾아와 안길 때

대부분의 원인은 아빠였다.

아이가 넘어져 다치게 되면 아빠는 벌떡 일어나

부랴부랴 연고와 밴드를 가지러 간다.

아이는 서럽게 울며

아빠가 나를 안아주지도 않고 가버렸다고 한다.

아침 일찍 출근하는 아빠가 아이가 잠에서 깰까 걱정되어

살금살금 집을 나서고 잠시 뒤 잠에서 깬 아이는

아빠가 자기에게 뽀뽀도 해 주지 않고 가버렸다며 서럽게 운다.

그런 아이를 품에 안고 알려주었다.

시하야 남자들은 알려주지 않으면 절대 몰라.

'아빠 나 아프니까 안아줘.'

'아빠 출근하기 전에 나한테 뽀뽀하고 가야 해.'

이렇게 시하가 말 안 해주면 아빠는 절대 몰라.

신랑은 언제나 아이에게 최선의 것을 선택한다.

당장 아이에게 필요하고 중요한 것들에 집중하지만

아이는 그런 아빠 마음은 모른 채

감정적으로 보듬어 주지 않는 아빠가 서럽다.

나와 연애할 때나

아빠로 사는 지금이나

어찌나 한결같이 무정한 사람인지.

한 발자국 뒤에서 지켜보니

무정한 저 사람의 헌신적인 뒷바라지가 이제야 보인다.

한번 비행을 나가면 3박 4일은 십을 비우는 엄마 때문에

아이와 아빠는 둘이서 그렇게 투닥투닥

다투고 화해하고를 반복하며 같이 자라고 있다.

신랑도 날 속상하게 하고 아이도 고집부리며 나를 너무 힘들게 하던 날.

"으이그! 두 박씨들 때문에 못 살겠다! 박씨 유전자엔 말 안 듣기 유전자

가 있나, 박씨들 다 꼴 보기 싫으니까 둘이 자 오늘!" 했더니 신랑이 실실

웃으며 "우리 아부지한테 가서 그 유전자 물어봐야겠다."라고 말한다.

시아버지를 들고 나서다니 이제 치사하기까지!

꽃 한 송이

땅에 뿌리 내린

꽃 한 송이를 지키기 위해

온 우주가 발버둥치며

몸살을 앓는다는데

꽃 한 송이와는 비교도 안 되는

귀한 너를 지키기 위해

나는 얼마나 괴롭게 몸부림치며 앓아야 할까.

그 절실한 몸살을

먼지만큼이라도 견뎌내어

너를 지켜낼 수 있길 기도한다.

삶이 또 다시 나를,

그리고 내 아이까지 배신하고

울컥울컥 도저히 어찌하지 못할 시련을 줄 때

그래서 너무 아파

차마 신음도 내뱉지 못할 순간이 온다 해도

비명도 몸부림도 원망도 없이

조용하고

의연하게

내 아이에게 말하고 싶다.

괜찮아.

오늘은 네가 조금 울어도 좋은 그런 날일 뿐이야.

밤새도록 잠들지 않는 뉴욕의 화려함보다

텁텁한 모래 바람마저 경이로운 카이로의 한낮이 좋았다.

피라미드와 스핑크스라니!

웅장했던 위용은 이미 사그라져 버리고

껍데기만 남아

과거의 빛바랜 영화를 짐작케 하는

거대한 것들이 주는 처연함이 좋다.

저 위대했던 제국도 결국은 저리 초라하게 사라지는데

그에 비하면 나의 걱정거리들이야

이 얼마나 사소하고

한없이 찰나의 일일뿐인지.

처연함이 나를 위로하는 그 순간이 좋다.

공주 우산

아이가 좋아하는 공주 우산을

무심한 엄마가 장마 끝자락에서야 사 주는 바람에

햇빛 쨍쨍한 무더위에 그저 우산꽂이에만 꽂히게 된 공주 우산이

아이를 애타게 했다.

"엄마 오늘은 비 와? 오늘도 아니야?"

"아직 구름이 날씬하네. 구름이 더 뚱뚱해져야 비가 올 거야."

시무룩해진 아이 모습에 나 역시 하늘을 한 번 더 올려다보게 된다.

나른한 오후 어린이집 하원 시간에 가까워진 즈음

토독토독 내리는 빗소리에

공주 우산의 핑크빛이 더 선연해지며 내 눈에 들고

우산을 쓰고 행복해 할 아이 얼굴이

분홍분홍하니 내 마음에 번져 나를 채운다.

곁에 없는 순간마저

나를 이다지도 행복하게 하는 니의 행복이라니.

찰박찰박 빗물 웅덩이를 뛰어 다닐 너의 작은 발과

공주 우산을 꼭 쥐고 뱅글뱅글 우산을 돌려가며

빗방울 하나까지 채워 갈 너의 웃음소리가

벌써부터 나를 설레게 한다.

나의 상상으로 한 번, 그리고 나의 곁에서 또 한 번

너와 함께 쉴 새 없이 행복이 내린다.

너를 느끼다

너를 처음 알게 된 날을 선연히 기억한다.

흔히 말하는, 아이를 가졌을 때 생기는 몸의 변화는 전혀 없었다.

다만 어느 날 아침 눈을 떴을 때 나는 네가 나에게 왔음을 느꼈다.

그래, 그건 정말 느낌이었어. 누군가 나에게 설명을 요구한다면

나조차도 결코 설명할 수 없을 여자의 직감이었다.

바로 근처 약국으로 가서 임신테스트기를 사와 검사를 했는데

비임신이라는 결과가 나왔지만 난 그마저도 믿지 않았어.

돌이켜 보아도 설명할 길 없는 그 분명한 확신을

나는 지금도 생생히 기억한다.

성격이 예민해 몸의 작은 변화에도 민감한 사람이었던 것도 아니다.

오히려 나는 둔한 쪽이었고 작은 변화랄 것도 없이 몸은 평소와 다름

없었건만 나는 무엇이 그리 나를 확신에 차게 했는지

지금도 잘 모르겠다.

그저 엄마를 예비한 여자의 직감이라고밖에 설명할 길이 없을 듯하다.

하지만 나의 확신과 달리 나음 날 다시 해 본 테스트기는 역시나

비임신이라는 결과를 보여주었다.

어처구니없게도 나는 또 그럴 리가 없다 생각했다.

자녀 계획을 따로 세우지 않은데다 평소 월경 날짜를 꼼꼼히 챙기는

성격도 아니어서 아이가 생기는 날이 언제이지조차 모르고 사는데

무엇이 그리 나를 붙들었을까.

그리고 또 다음날.

그날은 늦은 저녁에 출발하는 비행 스케줄이 있었던 날이었다.

장거리 비행이었고 힘들기로 손꼽는 비행 스케줄이었던 터라

출근하는 오후까지 충분히 자고 체력을 비축해야 했지만

나는 그날도 아침 일찍 일어나 임신 테스트기를 했다.

그제서야 임신이라는 결과를 보았다.

임신이라는 기쁨보다 '그것 보라지.'라는 의기양양함이 먼저였다.

나조차도 의아했던 나의 확신이 의미 없이 공허한 것이 아니었음에

어쩌면 안도했는지도 모르겠다.

그렇게 바로 병원으로 달려가 엿본 너의 집은

정말 작고 까만 동그라미였다.

아직 너는 너무나 작아 보이지도 않을 정도였고

다만 내 안에서 열심히 지어 놓은 작은 집만 보았을 뿐이었지.

아직 우리에게 모습을 보이지도 못할 만큼 작은 너인데

나에게 그다지도 커다랗고 묵직한 확신을 주었다.

그때 나의 나이가 스물아홉. 서른 해 남짓을 살아오는 동안

처음 느껴보는 판타지였다.

말로 설명할 길 없이 그저 감정으로만 느껴지는 어떤 신비로움.

나의 부족함은 여전히 그때의 경이로움을 글로 표현할 수 없어

통탄스러울 지경이다.

병원을 나서며 회사에 전화를 걸어 임신 사실을 알렸고

바로 모든 스케줄이 취소되었다.

만약 내가 까닭모를 그 확신을 애써 무시하고 비행을 갔다면,

작은 점보다도 작던 네가 잘 버텨주었을까.

아니, 그랬다면 우린 만나지 못했을 테지.

여리고 여린 네가 버티기엔 너무나 힘겨운 비행이었을테니.

나는 네가 우리에게 오기 위해

최선을 다해 나에게 말을 건넸던 것이라 확신한다.

우리 모두 충실했던 시간이었다.

너는 허허벌판 아무것도 없던 내 안에 집을 짓고

열심히 너를 완성해 갔다.

네가 커가는 만큼 집을 넓히는 일도 잊지 않았지.

내 생에 처음으로 단 일 초도 허투루 보내지 않았던 시간이었다.

내가 잠을 자는 그 시간조차 너는 내 안에서 자라고

나는 너를 키워내고 있었으니까.

너를 처음 알게 된 날을 선연히 기억한다.

사는 동안 다시 없을 분명한 확신을 가졌던 그날.

한 점의 의심도 없이 순수하고 충실했던 그 순간들을 기억한다.

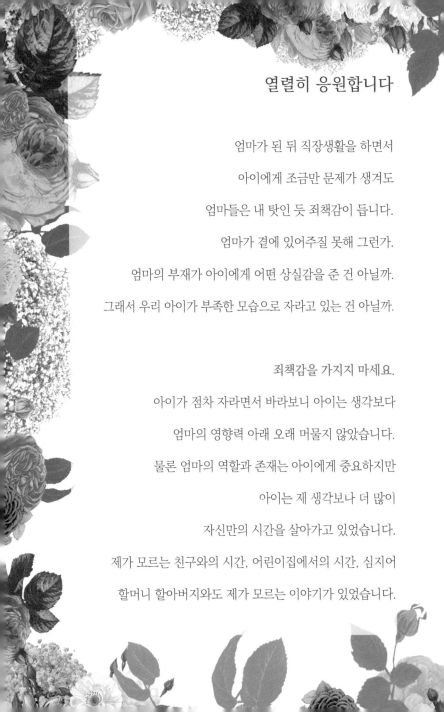

열렬히 응원합니다

엄마가 된 뒤 직장생활을 하면서

아이에게 조금만 문제가 생겨도

엄마들은 내 탓인 듯 죄책감이 듭니다.

엄마가 곁에 있어주질 못해 그런가.

엄마의 부재가 아이에게 어떤 상실감을 준 건 아닐까.

그래서 우리 아이가 부족한 모습으로 자라고 있는 건 아닐까.

죄책감을 가지지 마세요.

아이가 점차 자라면서 바라보니 아이는 생각보다

엄마의 영향력 아래 오래 머물지 않았습니다.

물론 엄마의 역할과 존재는 아이에게 중요하지만

아이는 제 생각보나 더 많이

자신만의 시간을 살아가고 있었습니다.

제가 모르는 친구와의 시간, 어린이집에서의 시간, 심지어

할머니 할아버지와도 제가 모르는 이야기가 있었습니다.

아이는 저와 상관없이

흐르는 시간을 충실하게 살아가고

자신만의 성을 만들어 가고 있는데

저의 자만이 아이의 시간을 너무 쉽게 재단했습니다.

쇼핑하세요.

아이를 위해서가 아니라

나를 위해 예쁜 옷을 사고 구두도 사고,

햇빛 좋은 날엔 예쁜 커피숍에 들러 커피 한 잔 하세요.

자수는 아니너라도 셰질이 바뀌는 때 한 번 정도는

오롯이 나만을 위해 쇼핑을 하세요.

예쁜 옷을 입고 아이를 만나면

더 기분 좋게 아이를 사랑하고

어쩐지 아이 앞에서 당당해지는 저를 발견합니다.

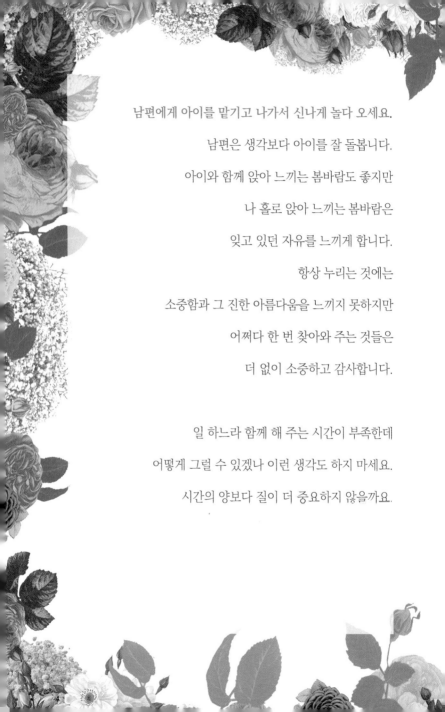

남편에게 아이를 맡기고 나가서 신나게 놀다 오세요.

남편은 생각보다 아이를 잘 돌봅니다.

아이와 함께 앉아 느끼는 봄바람도 좋지만

나 홀로 앉아 느끼는 봄바람은

잊고 있던 자유를 느끼게 합니다.

항상 누리는 것에는

소중함과 그 진한 아름다움을 느끼지 못하지만

어쩌다 한 번 찾아와 주는 것들은

더 없이 소중하고 감사합니다.

일 하느라 함께 해 주는 시간이 부족한데

어떻게 그럴 수 있겠나 이런 생각도 하지 마세요.

시간의 양보다 질이 더 중요하지 않을까요.

자기의 일을 놓지마세요.

딸을 키우는 저는 더욱 제 일을 놓지 못할 것 같습니다.

아이가 저의 모습을 보고

여자, 혹은 엄마로 살아가는 것에 대해

어쩔 수 없는 상황들과 주변의 시선과 압박 때문이 아니라

오로지 자신의 신념으로만 결정하기를 희망합니다.

아이가 '엄마'로서 충실하게 살아가는 것이 행복이라 한다면

저는 기쁘게 응원할 것입니다.

또는 자신의 일로써 자아성취를 이루고자 한다면

그 역시 열렬히 응원힐 깃입니다.

나의 아이가 살았으면 하는 인생을 미리 걸어가보려 합니다.

어떤 이유이든 일을 놓지 않고

엄마로서 살아가는 이 세상 모든 분들을 응원합니다.

5장 *Landing*

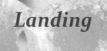

Landing

결국은 사람,

결국은 사랑

장거리 비행을 하고

착륙에 가까워질 즈음이 되면

내가 담당했던 구역의 승객들에게

괜히 나 홀로 정이 들어 애정이 생긴다.

열두 시간이 넘도록 불편한 점은 없으신지,

아픈 곳은 없으신지 기색을 살피고

필요한 것들을 챙겨드리다 보면 어쩔 수 없이 생기는 정이다.

그렇게 착륙을 하고 내리시는 손님이

고생했다 한 마디 해주면

짝사랑이 이루어진 스무 살의 어린 청춘처럼

마음이 설렌다.

그 한 마디에 착륙한 비행기에서 다시 이륙하는 비행기로

나는 이다지도 마음이 설레어 비행을 놓지 못한다.

헝가리
부다페스트

비엔나로의 비행.

비엔나에서 한 시간 반 정도 버스를 타고 이동해

헝가리 부다페스트에 들렀다.

푸르디푸른 하늘 아래 다뉴브 강의 물살은 생각보다 거셌다.

다뉴브 강을 가로지르는 다리 아래로

침몰한 유람선을 인양하는 작업이 한창이었다.

잠시 눈을 감고 기도했다.

바람마저 향기로운 이 아름다운 도시에서

왜 그런 아픈 일이 생겨야만 했을까.

여섯 살의 어린 아이가 엄마와 함께 선실로 내려가는 계단에서

발견되었다는 기사가 생각났다.

멀리서 바라보면 저리 잔잔한 물결이나,

가까이 다가가니 거칠게 물결쳐 대는 다뉴브 강을 보고 있자니

괜스레 아름다운 도시의 절경이 원망스러워졌다.

저 강물처럼 이 도시가 아름다운 겉모습 뒤로

거친 속내를 감추고 있었던 건 아니었을까.

푸른 하늘마저 슬펐다.

아이가 얼마나 무서웠을까.

아이를 품에 안고 엄마는 또 얼마나 무서웠을까.

아이 몸에 생채기 하나만 나도 마음 아픈 존재가 엄마인데

천금같은 아이를 안고 얼마나 괴로웠을까.

아이야, 엄마 손잡고 우리 같이 가자.

비행기 타고 집으로 가자.

흠집 하나 없는 아름다운 이 곳이지만

그래도 우리 같이 집으로 돌아가자.

다뉴브 강을 바라보며 간절히 기도했다.

우리 돌아가는 비행기에 그들을 데려가고 싶다고.

2019년 6월

부다페스트의 다뉴브 강에서 유람선이 침몰했고

그 배에는 한국인 서른세 명이 타고 있었다.

비엔나에서 한국으로 돌아가던 비행에

침몰한 유람선에서 목숨을 잃으신 분들의 유족들을 태우고

무거운 마음으로 한국에 돌아갔다.

부디, 모두가 함께 집으로 돌아가는

비행이었기를 간절히 기도한다.

여전히 푸르고
아름다운 당신

아빠가 집 밖에서 만나게 되는 전쟁 같은 하루는

남자로서의 자존심보다는

한 가정의 가장으로 많은 것을 참고 견뎌내는

참 고단한 하루겠지.

감히 짐작하는 것조차 미안한 아빠의 그 하루하루가 안쓰러워

눈물을 보이는 것마저 조심스럽다.

승자도 패자도 없으니 승리의 기쁨조차 없는

그 허무한 삶의 전쟁을 또 하루 마무리하고

지친 몸을 다시 우리 집으로 데려와 침대에 뉘었을 때.

당신 곁에 있어 편안한 나와

당신의 진정한 첫사랑인 우리의 아이와

그리고 나의 남편이자,

우리 아이의 아빠인 것이 자랑스러운 당신.

그 사이에서 쏟아지는 우리 웃음이 감사하고

어설픈 나의 위로를 당신이 받아줌에 감사한다.

어쩔 수 없이 서글픈 그대의 하루였겠지만

가슴을 시리게 만들어

결국은 코끝까지 시큰해지는 그런 서글픔이

그대 눈 안쪽에 찰랑거리고 있음을 잘 안다.

그럼에도 나와 아이 곁에서 환하게 웃어 주는 그대를 보며,

천진하게 마냥 행복한 우리가 전부인 당신임을 알기에

그렇게 철없이 오늘도 당신 곁에 기대어 웃는다.

그렇게 너는 기특하다

그저 따뜻하기만 할 새봄이 온 줄 알고

성급하게 꽃망울을 터뜨린

하얀 목련 꽃 한 송이를 보았다.

아직은 앙상한 나뭇가지에 홀로 앉아

꽃샘잎샘에 휘둘리면서도

꽃잎 한 장 떨구지 않고 기특하게 피어 있었다.

그렇게 몇 날이 지나

고집스럽게 버티던 차디찬 겨울 기운이 떠나가고

훈훈한 봄바람과 햇살의 품 안에서

다른 꽃망울들이

너 나 할 것 없이 눈부신 아름다움을 터뜨릴 때

그 꽃송이는

홀로 힘겹게 버티느라 이제는 노릿해져 버린 꽃잎이

부끄러워졌는지

꽃잎 끝자락을 가만히 여며 접어두었다.

노릿한 꽃잎을 가만가만 쓰다듬으며

말해주고 싶다.

우르르 쏟아지는 이 하얀 아름다움이

너무 눈부셔서

고개를 돌리려다

꽃잎 끝자락에 남겨진 기특함 덕에

눈 둘 곳이 생겨

마음이 편안해졌다고.

화려한 아름다움이야

잠깐 내 마음에 감탄을 주었지만,

도릿한 꽃잎 끝자락은

오래오래 눈을 떼지 못하게 하였다고.

그렇게 너는 참 기특하다고

말해주고 싶다.

낭만

사랑하는 그대와 가정을 이루고,

아이를 낳고

그렇게 시간이 지나 담담하게 담백해진 우리를 돌아보다

조금 섭섭한 마음이 드니 옛 생각이 난다.

새벽이 오도록 헤어지기 아쉬워

우리 같이 걷던 신촌의 그 길목과

포슬하니 내뱉어지던 우리의 입김과

시린 나의 손을 잡아끌어 그대의 주머니 안으로 넣고

꼬옥 쥐어 잡던 온기.

그것들이 낭만이었구나.

우리가 푸른 새벽을 더 이상 함께 걷지 않아

이리 잔잔해졌구나 싶어

"우린 이제 낭만이 없어."라고 섭섭함을 감춘 투정을 부리니,

아이가 쪼르르 내게 달려와

"엄마 양말이 없어? 시하 양말 빌려줄까?" 한다.

세상에!

그래.

네가 우리의 낭만이지.

토끼 양말처럼 귀여운 우리의 낭만.

뒷모습이
아름다운 시간

프랑크프루트로 향하던 비행이었다.

첫 번째 식사 서비스가 끝나고 기내 불이 깜깜하게 꺼졌는데,

승객 콜이 울리기에 가 보았더니,

정장을 단정히 차려 입으신 나이가 지긋하신 노신사가

버튼을 잘못 누르셨다며 겸연쩍게 웃으셨다.

 그렇게 두 번, 세 번, 네 번 ......연거푸 울리는 콜 버튼에

잘못 누른 거라 또 웃으시는 할아버지께

"괜찮습니다. 제가 콜 버튼 꺼 드릴게요." 하고는

애써 웃으며 다시 돌아왔다.

슬쩍 할아버지가 앉아 계신 자리를 보니

또 버튼을 잘못 누를까 걱정이 되셨는지

기내 영상도 보지 못하신 채 깜깜한 기내 가운데서

끔뻑끔뻑 눈만 깜빡이며 앉아계셨다.

조용히 다시 할아버지께로 가서

"손님 영화 한 편 틀어드릴까요?" 하자

화색 어린 표정으로 웃어주시며 고맙다 하시다.

'죽은 시인의 사회'라는 영화를 틀어드리니

"내 자네 덕에 시간을 살렸네.

꺼멓게 시간을 죽이고 있어 아까웠네 그려."라고 말씀하시며

손을 맞잡으셨다.

뒷자리에 앉아 계시던 아드님께서

갤리로 돌아온 나를 쫓아와

미안하고 감사하다며 인사를 하셨다.

외교관으로 일하시면서 평생 비행기를 타고 다니시던 아버지신데

저리 늙으셨다며, 조금 눈시울을 붉히셨다.

아드님 역시 중년의 나이를 지나

흰머리가 듬성듬성 보이는 연배셨지만

아버님 얘기에 아이처럼, 눈물이 부끄러운 청년처럼

눈물을 훔치셨다.

가족여행이니 편한 옷을 입으실 법도 하건만

고집스럽게 단정히 차려 입으신 정장과

남에게 폐를 끼칠까 염려되어 꺼멓게 죽이던 할아버지의 시간이

그분 한 평생의 결을 보여주는 듯했다.

비록 몸이 늙고

익숙하던 것들마저 낯설어지도록

아득해지는 느린 마음의 세상에 계시지만

참 바른 결을 따라 살아 오셨을,

그 모든 것을 담은 뒷모습을 보고 있자니

그분의 인생과

지나가 버린 청춘과

남아있는 안쓰러움까지 함께 느끼는 아드님이 곁에 계심에

좋은 한 평생을 지나고 계시는구나,

그리고 내가 그런 그분의 시간을

잠시나마 밝혀드렸구나 싶어서 조금 뿌듯해졌다.

저렇게 결이 바른 부모가 되어야겠다.

어느 날 느린 시간 속에 사는 늙은 나를

나의 아이가 바라볼 때

애정과 안쓰러움으로 바라볼 수 있도록.

그렇게 뒷모습이 아름다운 시간을 걸어야겠다.

결혼을 하니 부모님이 새로이 생겼다.

감사합니다, 존경합니다.

당신들의 따뜻한 그 울타리 안에

자식으로 들게 되어

 내리사랑을 배웁니다.

칭찬의 나이

할아버지 댁에서 놀던 날,

아이의 작은 고모가 샌드위치를 사오셨다.

사촌들과 둘러 앉아 샌드위치를 나눠 먹고

외출 중이신 할아버지 몫으로 샌드위치 하나를 남겨 뒀다.

아이가 유난히 좋아하던 샌드위치였던 터라

하나로 부족했던지 아이가 샌드위치를 더 먹고 싶다고 한다.

더 먹을 수 없다 했더니 알았다 하면서도

아이의 표정이 시무룩했다.

저녁나절에 돌아오신 할아버지가

식탁에 놓인 샌드위치를 보시더니

할아버지는 샌드위치를 좋아하지 않으니

시하 집에 가져가 먹으라 하시자

할아버지 말씀에 아이의 표정이 화색이 되었다.

집에 돌아가는 차 안에서

샌드위치 상자를 소중히 안고 가던 아이가,

"엄마, 할아버지 진짜 착하다. 난 이렇게 착한 할아버지는 태어나서

본 적이 없어."라고 말하며 감격한 표정을 지었다.

착한 할아버지.

여든이 다 되어 가는 연세이신데,

할아버지는 '착하다'라는 칭찬을 들어보신 게

언제이실까.

칭찬의 표현에 나이가 있을 리 없는데

어쩐지 '착한 할아버지'라는 말이 나에게 어색하게 들려

아버지께 죄송한 마음이 들었다.

"시하야 내일 할아버지께 꼭 말씀드리자.

할아버지는 정말 착한 할아버지라고."

아이의 말 한 마디에

한껏 행복해하실 아버지의 모습이 눈앞에 선하다.

아프지 마

살면서 가만히 들여다보니

아픔 없는 사람, 걱정 없는 사람이

어쩜 이리 한 사람도 없는지.

어느 집이나 걱정거리 하나쯤은 안고 살아가고 있었다.

내 아이도 결국 언젠가, 어느 날부턴가

서럽게 아픔, 슬픔, 걱정을 마음속 한 구석에 켜켜이 쌓아 가겠지.

어쩔 수 없음을 알면서도

그 생각만으로도 벌써 이렇게나 마음이 아프다.

부디 아주 잠깐 아파하고, 슬퍼하다 그 아픔에서 무언가

아주 작은 것이라도 배워 성장하고 훌훌 털어낼 수 있는

그런 사람이 되기를 바라본다.

나는 아직도 그러질 못해 여태 마음이 덜 큰 어른이지만

너만은 그런 사람으로 자라길.

어느 나라, 어느 도시의 호텔이었을까.

침대에 기대어 보기 시작한 드라마가 너무 슬퍼서 울다가

정작 드라마 내용과는 전혀 관련도 없는

내 기억 한 조각이 떠올라 엉엉 울고 말았다.

혼자 있어서 다행이었다.

눈물이 내 몸 밖으로 나오고 싶어 억지로 기억을 보챈 날이었다.

이런 날들 때문에 엄마도 혼자만의 시간이 필요하다.

조금 더 이대로

여섯 살이 되면서

아이가 하루에도 몇 번씩 자주 하는 말이 생겼다.

"엄마, 그럼 이렇게 하자. 이렇게 하면 어때?"

얼마 전까지만 해도 자기 말대로 되지 않으면

짜증부리고 울던 아이가

이제는 먼저 자기 생각을 내게 말하고,

 나를 설득한다.

"이렇게 하면 어때?"라고 말할 때면

동그란 눈을 한껏 더 크게 뜨고

손가락으로 지휘를 해가며

제법 나를 가르치는 모양새로 얘기하곤 하는데

그 모습이 못 견디게 사랑스럽고 귀엽다.

사람 됐네 사람 됐어 싶다가도 내가

"아니 그건 그렇게 하지 말자."라고 말하면

금세 짜증을 부리고, 자기 말대로 해달라며

결국 다시 다섯 살의 아이로 돌아가는 모습을 보며

나는 왜 안도감이 드는지.

너무 빨리 크지 마.

조금만 더 네 엉덩이를 팡팡 거리며

'언제 사람 될래',

'엄마 없으면 어떻게 살래'

이렇게 짐짓 속상한 듯 생색내고 싶어.

엄마는 비행 나가고 아빠랑 단둘이 수영장 간 날

수영복 거꾸로 입은 줄도 모르고 신나게 놀다 온 두 부녀

나 없으면 제대로 되는 일이 없지.

암, 그렇고말고.

이 감사함을
다 어찌할지!

아침에 출근해 저녁에 퇴근하는 직업이 아니라

한번 출근하면 집을 떠나 이삼일 후에나 퇴근하는 일이다 보니

난감한 일이 생기곤 한다.

밤새 눈이 내려 하얀 눈이 소복이 쌓인 아침

어린이집 선생님께서 아침 일찍 공지를 올리셨다.

눈이 쌓여 오늘 눈 놀이를 하면 아이들이 좋아할 것 같으니 부츠를 신고 장갑을 끼고 등원시켜달라는 공지였다.

비행 나가기 전 아이가 입을 나흘치 옷과

미리 공지된 준비물들을 챙겨 시댁으로 보내면

아이가 내가 비행 나간 나흘 간 시댁에서 등하원을 하고 지내는데

이렇게 갑작스레 준비물 공지가 올라오면 난감해진다.

장갑도 없이 손이 시릴 아이가 생각나 마음이 아려왔지만

지구 반대편에 있는 엄마는 어쩔 도리가 없다.

하루 종일 마음이 쓰려 우울하던 중

어린이집 활동사진이 올라와 열어보았더니

아이가 목도리에 부츠에 장갑까지 야무지게 착용하고

신나게 눈싸움 놀이를 하고 있는 사진들이었다.

아이의 물건들이 아닌데 어찌된 건가 싶어

선생님께 문자를 보내 여쭤보았더니,

내가 비행 나가 있는 걸 아시고는

출근길에 아이 것을 따로 챙겨 오신 모양이었다.

갑작스레 준비물을 말씀드려 오히려 죄송하다 말씀하시는 선생님께

이 고마움을 어찌해야 할지. 문자를 적는 휴대폰을 향해

선생님은 보시지도 못할 인사를 연신 해대며 감사함을 전했다.

어느 무더운 여름날엔

물놀이를 위해 물총을 보내 달라는 아침 공지를

시차가 다른 나라에서 자느라 보지 못하고

아이가 하원한 시간이 되어서야 보았다.

멋진 물총을 든 아이들 사이에서 의기소침했을 아이 생각에

또 싸하니 마음이 아팠는데,

이게 웬걸 활동사진에는 아이들 중 가장 큰 물총을 들고

의기양양하게 있는 것이 아닌가!

시어머니께서 아침부터 아이 고모 댁으로 가

사촌의 물총을 빌려다 보내주신 모양이었다.

아이 등원 준비만으로도 바쁘셨을 아침에

사촌의 물총 중에서도 제일 크고 멋진 물총으로 골라 보내 주셨다.

아이 하나를 키우려면

온 동네 사람이 나서서 힘을 보태야 한다더니.

이 아이 하나 키우는 일이

정말 나 하나의 힘으로는 어림없을 일이다.

이 감사함을 다 어찌 갚고 살아야 할지.

아이가 복이 많은 건지

내가 복이 많은 건지

온 동네가 나서 우리 가족이 바르게 자라도록 도와주신다.

거짓말까지도

"엄마랑 아빠는 내가 무슨 말을 해도 다 믿을 거지?"

어느 날 아이가 내게 물었다.

"당연하지. 엄마랑 아빠는 무조건 시하를 믿을 거야. 그런데 시하도

엄마 아빠한테 거짓말은 하면 안 돼. 알겠지?"라고

대답해 주었더니,

"거짓말까지도 다 믿어야 무조건 믿는 거지!"라며

아이가 제법 진지한 얼굴로 말했다.

시하야 거짓말까지도 다 믿어주는 건 생각보다 쉬운 일이야.

거짓말까지도 다 감싸고 믿어주는 게

널 사랑하는 방법이 아니란 걸,

시하의 엄마가 되고 보니 알게 됐어.

우리 시하가 지금 잠깐 거짓말을 하지만,

결국에는 거짓말을 솔직하게 고백할 거라는 걸 믿어주는 것이

진짜 시하를 사랑하는 방법이라는 걸

엄마는 이제 알아.

다행스럽게도 이제는 알아.

초음파로 아이의 심장을 본 날,

심장이 반짝거린다고 생각했다.

그렇게 반짝거리는 마음을 가진 아이가 나에게 찾아와 주었다.

기적이었다.

재잘거리는 발소리

시계처럼 일곱 시 반이면 일어나는 아이는

아침잠이 많은 엄마를 깨우지도 않고 거실로 나가

아이만의 바쁜 아침을 시작한다.

아이가 일어난 소리에

나 역시 잠에서 깨어보려 하지만

눈꺼풀이 천근만근이다.

무거운 눈꺼풀은 포기하고 귀만 쫑긋 깨워

괜스레 마음만 분주히 아이의 기척을 따라다닌다.

도도도도 도도도

놀이방에서 거실로, 다시 거실에서 놀이방으로,

아이는 뭐가 그리 바쁜지 가만히 앉아 있질 않는다.

아이의 재잘거리는 발소리가 좋다.

가볍고. 경쾌하고. 기분 좋은

도도도도 도도도

작은 몸이 만드는 연주소리에,

아침부터 힘이 넘치는 아이의 몸짓을 따라

내 마음만 부지런해진다.

눈꺼풀은 천근만근이고

잠에서 덜 깬 몸은 나른한데

귓가는 분주히 경쾌하게 흥이 난다.

제목 : 거꾸로

지은이 : 시하

나는 아빠랑 있으면 엄마가 생각나고

나는 엄마랑 있으면 아빠가 생각난다.

나는 엄마 아빠를 사랑해

옷 정리

계절이 바뀌어 두꺼운 옷들을 정리해 넣어두고

가벼운 옷들을 꺼내 옷 정리를 했다.

다시 꺼낸 가벼운 옷들 사이에서,

내가 비행 나가고 없을 나흘 간 아이가 입을 옷들을 골라 넣고

아이를 시댁에 맡기고 비행을 나갔다.

호텔에 도착하면 가장 먼저 아이의 어린이집 활동사진을 보는데

활동사진 속 아이의 옷이 어쩐지 이상하다.

원피스와 쫄바지를 넣어 보냈는데 아이의 볼록한 배가 도드라지도록

꽉 끼는 윗옷과 쫄바지를 입고 있는 것이 아닌가.

이런!

계절이 바뀌는 사이 아이는 몰라보게 자랐는데

엄마가 그 생각은 하지 못하고 그냥 넣어 보낸 것이다.

계절이 바뀌는 사이 아이의 원피스는 윗옷이 되고 말았다.

홀로 있는 호텔방에서 웃음이 터져 나왔다.

아이구 우리 강아지

엄마가 미안해.

엄마가 우리 강아지가 이렇게 많이 큰 줄 미처 몰랐네.

엄마가 예쁜 원피스 다시 사줄게.

아이가 이리 큰 것이 대견해 기분 좋고,

그 덕에 쇼핑할 핑계가 생겨 또 기분 좋고.

마침 내가 간 비행은 아이 옷 쇼핑의 성지 댈러스!

safety check

비행기가 목적지에 착륙해 게이트에 도착하고,

기장님이 벨트 사인을 꺼주시면

팀장님은 전 승무원들을 올콜(All call, 전 승무원을 호출하는 것) 하신다.

"Cabin crew, safety check."

비상시에 대비했던 비행기 도어를

이제 승객들의 하기를 위한 편안한 모드로 바꾸는 절차.

이 순간이 좋다.

오늘도 300명이 넘는 승객들을 안전하게 모시고 왔구나.

오늘도 가치 있는 사람으로 살았구나.

덜컥.

비행기 도어 모드를 바꾸는 둔탁한 소리에

안도의 한숨이 절로 나온다.

13시간 넘도록 날아오느라 고생했다 비행기야.

안전하게 도착해줘서 고마워.

오늘 제가 모셨던 승객들.

오랜 시간 앉아계시느라 고생하셨어요.

그리고 오늘도 최선을 다했던 우리 승무원들.

'덜컥' 하는 그 짧은 순간에

도어 모드를 바꾸고

내 마음도 감사함으로 모드 전환한다.

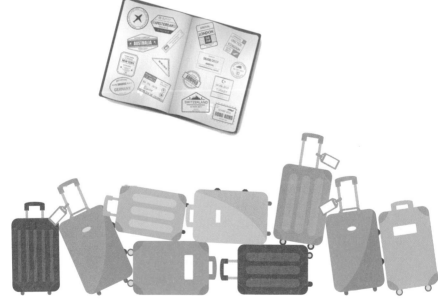

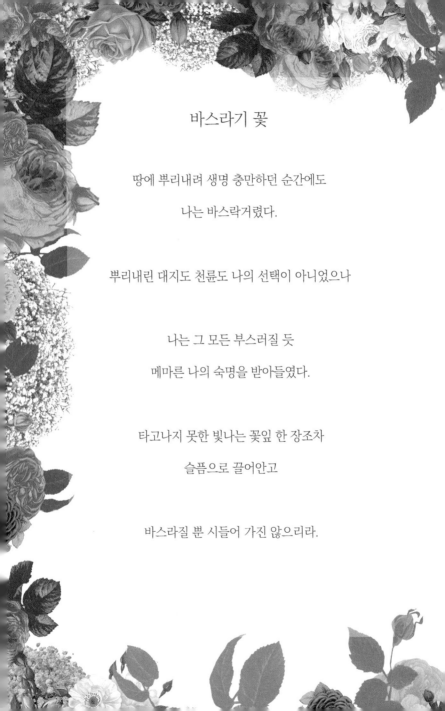

바스라기 꽃

땅에 뿌리내려 생명 충만하던 순간에도

나는 바스락거렸다.

뿌리내린 대지도 천륜도 나의 선택이 아니었으나

나는 그 모든 부스러질 듯

메마른 나의 숙명을 받아들였다.

타고나지 못한 빛나는 꽃잎 한 장조차

슬픔으로 끌어안고

바스라질 뿐 시들어 가진 않으리라.

마침내 천륜의 대지를 분절의 고통으로 떠나 올 때

흩어지는 향기에 조용히 작별을 고하고

나는 분연히 두려움을 떨쳐내었다.

비로소 나를 주저앉히던 뿌리에 벗어나

나는 오롯이 나로 존재한다.

지독히도 눈물을 머금은 나의 슬픈 바스라기가

말린꽃으로 살고자 하니 끝없이 아름답다.

6장 *De-briefing*

De-briefing

마침표로 끝나는 비행은 없다,

잠시 쉼표

비행이 끝나고 나면

승무원들이 모두 모여 그날의 비행에 관해

다시 한 번 브리핑을 한다.

그날 잘했던 점을 칭찬하기도 하고

부족했던 점은 공유하여

다음 비행에서는 보완이 되도록 하는 시간.

반성과 격려를 통해 우리는 성장한다.

지난 비행보다 더 나은 비행을 하고

어제보다 나은 엄마로 오늘을 산다.

나는
게을러지기로 했다

아이를 낳고 회사에 복직하여 비행을 시작하면서

온 가족의 적응기가 시작되었다.

육아휴직 중에는 남편이 일에만 집중하도록

육아는 최대한 내가 책임지려 했기에 나의 복직과 함께

덜컥 육아에 뛰어들게 된 남편은 뒤늦은 육아우울증에 시달렸다.

(본인은 아니라고 하지만 경험자로서 확신한다.)

내 한 몸만 챙겨 다니면 됐던 결혼 전과 달리

복직 후 나의 비행은 아이와 살림을 챙기느라

내 한 몸은 미처 챙기지 못하는 나날이 되었다.

나는 우선순위를 정하기로 했다.

메모장에 내가 해야 할 일들을 나열하고

다시 그것들을 우선순위대로 번호를 매겼다.

그리고 비행가기 직전까지 우선순위대로 일을 처리하기로 했다.

복직하지 않고 아이와 집에 있기를 바라는 남편을 설득해

어렵게 하는 비행이었기에 잘 해내야 한다는 강박이 컸다.

한 번의 실수에도 '쯧쯧쯧, 내가 이럴 줄 알았지'라는 말을

들을 것 같아 나는 괜찮은 척,

모든 일을 척척 해내고 있는 척하며

메모장에 나열된 리스트들을 해치우려 했다.

하지만 내가 해야 할 일은 너무나 많은데

시간이 너무 부족했고, 나의 체력이 따라주질 못했다.

그러다 보니 초조하고 조급해져

아이에게 짜증내는 횟수가 늘어나는 것을 느끼자,

일을 붙잡으려는 나의 이기심 탓에 온 가족이 힘들어 지는 것 같았다.

자꾸만 눈치가 보이고

힘들다는 소리는 혼자 안으로 삭이게 되고,

나는 점점 의기소침해져 갔다.

한번은 밤샘 비행을 하고 도착한 방콕 호텔에서

샤워를 하고 머리를 말리던 중 눈앞이 빙그르르 돈다 싶었는데

눈을 떠보니 기절해 쓰러져 있었다.

시계를 보니 한 시간은 족히 누워 있었던 듯했다.

결혼 전 밤샘 비행을 갈 때면 출근 직전까지 자고 출근해

체력을 비축했었는데

아이를 낳고 보니 아이와 놀아주고 저녁밥을 해 먹이고,

나 없는 동안 입을 옷들을 챙겨 할머니 댁에 아이를 데려다 준 뒤

부랴부랴 출근 준비를 해 비행을 나가 밤을 새우니

체력이 버티질 못했던 모양이었다.

호텔방을 혼자 쓰다 보니 혼자 쓰러져 혼자 깨어나는

겸연쩍은 상황이 연출 되었다.

나는 그날 게을러지기로 결심하고

우선순위가 아니라 독과점 전략으로 나가기로 했다.

다른 모든 것들에 게을러지는 대신,

중요한 몇 가지에 대해서는 타협 없이 최선을 다하기로 한 것이다.

아이의 안전, 그리고 예절에 관해서는 어떠한 타협 없이 최선을 다했다.

나 역시 아이가 공부를 잘 했으면 좋겠고 그림도 잘 그리고,

영어도 잘 하는 아이로 자라면 좋겠다는 바람이 있지만

그 모든 것에서 게을러지고 그저 예절 바르고 다정한 아이로

자라도록 돕는 것에만 나의 온 힘을 쏟았다.

가장 많이 게을러진 분야는 역시 살림이다.

청소도 대충 일주일에 한 번만 하고,

빨래도 너무 쌓여 안되겠다 싶을 때 했다.

가장 날 힘들게 했던 유니폼 세탁과 다림질은

 세탁소의 도움을 받았다. (자본주의 만세!)

그렇게 게을러지기로 결심하고 보니,

노는 아이 곁에서 뒹굴뒹굴하며 같이 누워

아이가 "엄마 귀찮으니까 저리가." 할 때까지

아이에게 장난칠 시간이 생겼다.

'엄마'라는 타이틀이 생겼다고 해서

나라는 사람이 드라마틱하게 바뀌진 않는다.

아이를 낳아도 나는 그저 나일뿐이다.

체력이 갑자기 좋아지는 것도 아니고,

머리가 갑자기 똑똑해지는 것도 아니고,

갑작스레 심성이 너무나 착해지는 것도 아니다.

나라는 사람이 얼마큼 해낼 수 있는가 객관적으로 들여다보고

부족한 내 모습을 인정하며

그보다 잘해낼 생각은 말자 마음먹으니 차츰 수월해져 갔다.

체력이 약하고 지구력이 약한 나에게는 독과점 전략이 잘 맞았다.

그 덕에 집은 엉망진창 되어가고

아이는 하루에 책 한 권을 읽을까 말까 하지만

친구에게 어른들에게 예절 바른 다정한 아이로 자라고 있다.

시간이 지나 아이가 자라면 또 전략 수정이 필요하겠으나

아직은 이상 무!

"엄마! 이것 봐. 내가 퍼즐 혼자 다 맞췄어!"

"응~ 잘했네. 시하야 엄마 옷 챙겨야 되니까 가서 퍼즐 하나 더 맞춰봐."

"엄마! 그런데 바람은 왜 부는 거야?"

"공기가 움직이니까 그렇지."

"공기가 뭔데?"

"숨 쉴 때 시하 코로 왔다 갔다 하는 거."

"숨 쉬는 게 뭔데?"

"어이구, 시하야! 엄마 지금 바빠! 이거 빨리 챙겨서 너 데려다 주고

엄마 출근해야 돼. 가서 혼자 퍼즐 해"

나도 모르게 한숨을 깊이 내쉬자 아이가 나를 빤히 바라보며 물었다.

"엄마 지금 엄마가 입으로 후 한 게 숨 쉬는 거야?"

나도 모르게 내뱉은 한숨에 아차 싶었는데

아이가 저리 천진하게 물어주니 괜스레 고마워졌다.

그래 아직 아이라 잘 모를 거야.

엄마가 내뱉은 한숨에 상처받지 않을 거야. 애써 합리화하며

"응 그게 숨 쉬는 거야."라고 대답해 주고

부랴부랴 다시 몸을 움직이려 할 때 아이가 한 마디를 덧붙인다.

"엄마 그런데 시하가 얘기할 땐 시하 눈을 봐줘.

시하 코로 눈물이 왔다 갔다 할 거 같아"

초조하고 조급한 나의 마음이 결국

아이 코에 슬픔이 들락거리게 만들고 말았다.

직장인과
엄마 사이의
균형

아이를 낳고 쉬었던 2년의 공백 기간이 있었지만

복직하며 크게 걱정은 하지 않았다.

나는 승무원이라는 직업이

대한민국에서 살아가는 여성들의 직업으로는 최고라 자부한다.

육아휴직을 마치고 비행에 복귀하기 전

의무적으로 한 달 동안 안전 훈련과 서비스 교육을 받는다.

회사에 입사할 때 두 달에 걸쳐 훈련을 받고,

비행을 하면서도 일 년에 한 번은 훈련을 받는데

휴직을 마치고 복귀할 때 다시 또 한 달의 훈련을 받아야 한다.

승객의 안전을 책임져야 하기에 끊임없이 반복하여

머리보다는 몸이 먼저 기억하도록 하는 것이다.

2년을 쉬었지만,

휴직 전 매년 정기적으로 훈련을 받았던 비행 생활과

그것도 부족하다 여겨 복직 시 한 달 간 다시 반복해

몸이 기억하도록 훈련을 시켜준 덕에

훈련 받는 한 달이 지나자

눈 감고도 비행할 수 있을 것 같던 때로 거의 돌아갔다.

다른 직종에 근무하는 친구들이 육아휴직을 마치고 회사로 돌아간 뒤

힘들어 하는 모습을 자주 보았다.

쉬고 있던 기간 동안 휴직 전 자신의 포지션은

이미 누군가 대신해 차지했고,

잠깐 사이에도 빠르게 변화하는 업계상황에 따라

달라진 업무를 따라잡기 힘들어 하다 결국 스스로 물러나고 만다.

안타깝지만 대한민국은 아이를 낳고 기를 시간을

일하는 여성에게 허락하지 않는다.

이런 대한민국에서 업무에 적응하고 따라잡을 수 있는

훈련까지 시켜 복귀시켜 주는 직종이 몇이나 되겠는가.

승무원 한 명을 훈련시키는 비용이 상당하다 하는데

그 모든 비용을 감수해 나를 훈련시키고,

그렇게 다시 돌아간 비행에서 나의 포지션 역시 휴직 전 그대로였다.

아침에 출근하고 저녁에 퇴근하는 직업이 아니다 보니

매일 아이를 볼 수 있는 것이 아니라 곤란하고 아쉬운 때도 있지만

비행을 다녀오면 오프인 며칠간 아이와

하루 온종일 함께 있을 수 있어 오히려 나은 점도 있다.

비행을 나가 잠시 일상에 벗어나서 나를 다독이고,

이국의 낯선 풍경 안에서 오로지 나 자신으로 쉬어가다

다시 돌아왔을 때 더 충만한 마음으로 아이를 사랑할 수 있었다.

승무원이라는 직업을 가진 덕에 회사의 한 일원으로서도,

엄마로서도 균형을 찾을 수 있었다.

일상에서 잠시 벗어나는 나의 비행 생활이

잠시 한 발자국 떨어져 엄마이자 아내인 나를 바라볼 수 있게 한다.

입사교육을 함께 한 입사동기가 있듯,

복직교육을 하면서 복직동기가 생겼다.

입사교육 때와 달리 복직동기들은 다양한 입사 연차에,

부장부터 사원까지 다양한 직급의 승무원들이

오로지 아이를 낳고 돌아온 엄마라는 공통점 하나만 가지고 모여

교육을 받는다.

하루는 승객 성향에 관한 강의를 하던 강사님이 물었다.

"아시는지 모르겠지만 요즘 '츤데레'라는 단어가 있습니다.

승객들 중 분명 무뚝뚝한 표정이신데 저희가 서비스할 때 다정하게 옆에

서 도와주시는 분들이 있죠? 그럴 때 쓰는 단어가 '츤데레'예요.

혹시 츤데레의 다른 예를 말씀해 주실 사무장님 계실까요?"

"뽀로로와 크롱의 관계요."

나도 모르게 내뱉은 말에 강의실 안의 승무원들이 모두 웃음바다가

되었고 강의실에서 유일하게 아이 엄마가 아니었던 강사님만 어리둥절한

표정이셨다.

무뚝뚝하게 툭탁거리다가도 결정적인 순간엔 한없이 다정한

뽀로로와 크롱의 관계를 아이 엄마라면 모두 공감하는 순간.

잠시 잠깐 우리는 모두 집에 두고 온 아이 생각에 서로를 바라보며

흐뭇한 표정을 지었다.

비행 업무도 배우고 안전 훈련도 받으면서

서로 육아 고민도 들어주고 격려하던 복직교육이었다.

여러모로 너무나 감사하고 뜻 깊었던 복직교육.

나는 참 복 많은 워킹맘이다.

나에게로 와
꽃이 되었다

아이를 낳고 매일 매일이 전쟁을 치르는 듯 힘들어

시어머니께 어떻게 아이를 셋이나 키우셨냐 물었다.

대식구의 살림살이를 도맡아 하시면서 2년 터울의 삼남매까지

다 키워내시느라 얼마나 힘드셨을까 생각하니 눈물이 찔끔 나올 것

같았는데 어머니의 대답이 의외였다.

"애 키우는 건 일도 아니었지. 아침에 애가 나가면 저녁에나 애 얼굴

봤어." 아이가 직장을 다니는 것도 아니었을 텐데

아침마다 어딜 나갔나 의아했다.

"시어머니가 애 들쳐 업고 나가셔서는 이 집 저 집 놀러 다니시는데

거기서 애 잠들면 그냥 눕혀 놓고 다른 집 가셨다가 혼자 집에 오셔서

식사도 하시고 그러다 애 생각나면 다시 또 그 집 가서 데려오고

그랬지. 그땐 온 동네가 니 자식 내 자식 그런 게 없었어.

요즘 사람들이 참 애 키우는 게 힘들지."

이 집 저 집 다니며 집집마다 있을 그 집 아이들과 섞여 누가 내 자식

인지 옆집 아인지 신경 쓰지 않고 살았던 동네 인심을 생각하니 이마

언저리가 따뜻해지면서 나까지 덜썩 마음이 행복해지는 듯했다.

요즘은 다들 현관문을 걸어 잠그고

우리 가족끼리만 유대를 쌓는다.

옆집에 누가 사는지 윗집에 누가 사는지 모르는 것 역시

이젠 당연한 일이 되었다.

예전에 비해 삶의 질이 높아지다 보니 아이에게 해줄 수 있는 것들이

너무나 다양해졌고 귀하고 소중하게 자식을 키워낸다.

그렇게 자란 아이들이 성인이 되어 직장 동료가 되고

상사와 부하직원이 되고 혹은 직원과 손님이 되어 만나게 된다.

귀하게 자란 손님이, 혹은 귀하게 자란 상사가 간혹 간과하는 사실은

내가 함부로 대하고 있는 저 직원 역시 한 가정에서 귀하게 자란

아이라는 것이다.

나도 귀하고 너도 귀하다는 사실이

닫힌 현관문에 갇혀 집 밖으로 나오질 못해 이런 일이 생긴다.

그래서 승무원으로 일하며 처음 몇 개월 간 마음을 많이 다친다.

대학교를 졸업하기까진 내가 돈을 내고 다니는 곳이지만 회사는 내가

돈을 받는 입장이다 보니 처음으로 겪는 나의 포지션이 당황스럽고

혼란스럽다.

그렇게 사람에게 상처입고 비행을 시작한 지 몇 개월이 채 되지 않아

회사를 그만두는 친구들을 보면서 조금만 더 견뎌보라

차마 말할 수 없다.

시간이 지나면 괜찮아질지 나 역시 확신할 수 없기 때문이다.

그 승무원 역시 귀하고 소중한 사람이기에,

그걸 견디고 참아야 할 이유를 뭐라 설명해야 할지 모르겠다.

그래서 떠나는 친구들의 앞날을 축복하고 기도해 줄 뿐이다.

국내에 착한 기업으로 SNS에 칭찬이 자주 올라오는 식품회사의

회장님을 두세 번 비행기에서 모신 적이 있다.

그 회장님은 탑승하실 때마다 그날 비즈니스 클래스에 근무하는

승무원이 몇 명인지 묻고 내리시기 전에 클래스에서 근무한

승무원들에게 복권 한 장씩을 주고 내리신다.

회장님은 내가 여러 차례 회장님을 모신 것을 모르시니

매번 같은 말을 하시며 그 복권을 주신다.

"내가 자네들에게 이 복권을 주는 건 일확천금을 꿈꾸라 주는 게

아니야. 오늘 고생한 자네들이 이 번호 맞추는 잠깐 동안의

두근거리는 그 마음을 내가 선물 하는 거야.

사람은 나이 들수록 억지로라도 두근거릴 일을 찾아 살아야 해.

고생 많았네 오늘."

그날 나는 복권 한 장만 받은 것이 아니라

'너는 귀한 사람이다. 네가 오늘 승객을 위해 노력한 일들 역시

귀한 일이다.' 칭찬도 받은 기분이었다.

어쩌면 회사에서 월급 받는 직원이 해야 하는

당연한 일로 여겨질 수도 있는 일이 어느새 의미 있는 일이 된다.

그야말로 이름을 불러주니 나에게로 와 꽃이 되었다.

회장님이 주신 복권이 당첨된 적은 단 한 번도 없지만

토요일 저녁 번호를 맞추던 그 짧은 시간 동안

난 일등 당첨되면 뭘 할지 온갖 상상을 하며 들떠 행복했다.

누군가를 귀하게 여긴다는 것은

타인의 삶을 충만하게 하는 의미 있는 일이다.

아지랑이

우리 사랑은 아지랑이요

일렁일렁 꿈처럼 아스라이

고요하지만 뜨겁게 위를 향해 오르는

우리 사랑은 아지랑이요

청첩장에 새겨 넣었던 글이다.

내가 처음 이 글을 청첩장에 넣고 싶다 했을 때

문학적 감성과는 거리가 상당히 먼 남편은

손발이 오그라들어 어쩔 줄 몰라 했지만 결국 동의해 주었다.

남편의 불편한 심정을 알면서도 고집을 부렸던 건

나에겐 나름 의미가 있는 글이었기 때문이다.

한창 연애를 하던 시절 흔한 연인들의 수순대로

우리 역시 서로의 감정선을 놓쳐 오해하고 싸우고

결국 헤어지잔 말까지 나오게 되었다.

연인과 싸워 본 사람들은 모두 알겠지만

늦은 밤이나 새벽녘 혹은 비 내리는 흐린 날 싸우는 것보다

햇빛이 쨍쨍한 대낮에 싸우는 일이 훨씬 정신적 소모가 크다.

햇빛과 살랑한 바람과 우리의 싸움과 무관하게

평화로이 흘러가는 일상의 소란스러움이 주는

그 모든 아늑함에도 불구하고

화가 나고 서운하고 슬퍼지는 감정이기 때문이다.

"이렇게 힘들 바엔 그냥 우리 헤어져!"

"그래, 헤어져!"

누가 먼저 헤어지자 했고

누가 그 말에 동의했는지조차 기억나질 않는다.

싸움의 원인도 너무나 사소했는지 기억이 나질 않는다.

다만 서로에게 절대 하지 말았어야 할 이별의 말을 내뱉은 뒤

내가 본 아지랑이의 모습은 기억에 선명하다.

그렇게 집에 돌아와 나 홀로 끄적거려 보았다.

'우리 사랑은 아지랑이요

일렁일렁 꿈처럼 아스라이 사라질 아지랑이요'

그렇게 우리 사랑이 사라진다 생각했다.

신기루처럼 사라지고마는 참 부질없는 감정이었구나.

이렇게 결국 끝나는구나.

하지만 그날 밤 우리 집 벨이 다시 울리고

나는 우리 집 문을 열며 이미 마음의 문도 함께 열고 말았고

문 앞엔 어색한 표정으로 그 사람이 서 있었다.

그날 밤 덧붙여 끄적거려 보았다.

'우리 사랑은 아지랑이요

일렁일렁 꿈처럼 아스라이

고요하지만 뜨겁게 위를 향하는

우리 사랑은 아지랑이요'

아지랑이는 언제나 뜨거워야 일렁이고, 일렁이는 그 너머는

모든 것이 본래의 모습을 잃어 흔들린다.

유리가 일렁거리듯 물결이 일렁거리는 듯

아지랑이는 언제나 불꽃처럼 뜨거웠다.

그렇게 위를 향해 서두르지도 않고 조용히 자신을 올리고 있었다.

이리저리 흔들리더라도 서로에게 뜨거울 수 있다면

우리는 사라지지 않고 위를 향해 함께 오를 수 있음을 알았다.

그날의 마음이 떠올라

우리 두 사람의 시작을 알리는 작은 종이 안에

그 글을 함께 담고 싶었다.

우리 청첩장을 받아 그 글귀를 읽는 사람들 중 한 명이라도

그날의 나의 마음을 조금이나마 느껴

그런 사랑을 할 수 있길 바랐다.

말린꽃

입사할 때 4로 시작했던 유니폼 사이즈가

복직하면서 6으로 커지더니

복직 후 비행을 하면서 8이 되었다.

예전에 입었던 유니폼을 보면

내 몸이 진짜 여기 들어갈 수 있었다니 놀라울 뿐이다.

 인간의 몸이 참 신기하고 신비롭다.

아이가 뱃속에서 점점 자라나면서 그 무게를 지탱하기 위해

허리와 엉덩이에 살이 붙고, 아이가 커지는 만큼

갈비뼈도 점점 벌어져 어깨와 몸통이 넓어진다.

우리가 흔히 말하는 아줌마 몸매는 그렇게 완성된다.

내가 이렇게 아줌마 몸이 되어 가는 동안

신체적으로 전혀 변하는 게 없는 남편을 보며 억울하고 원통했다.

여자만 너무 손해 보는 것 아닌가! 조물주는 남자임이 분명했다.

뉴욕의 모마 미술관 앞을 지나다

미술관 앞에 비치된 팸플릿에서 충격적인 문구를 보았다.

'처녀가 향기가 넘치는 생화라면 엄마는 향을 잃은 조화다.'

앞 뒤 내용을 조합해 읽어보면 다른 내용일지 모르겠으나

저 한 구절만 읽고 지나쳤던 나에겐 충격이 아닐 수 없었다.

엄마는 이제 여자로서 향기를 잃은 존재인가.

이제와 다른 남자와 연애할 생각은 없지만

그래도 역시 매력 없는 여자이고 싶진 않았다.

그렇게 슬쩍 보고 지나쳤던 한 구절이

오래도록 나를 싱숭생숭하게 했다.

그렇게 홀로 번잡스럽던 내 마음이 방어 기제를 발동하여

내 안의 긍정을 끌어냈다.

 '오케이! 젊은 처자들만큼 싱그럽고 향기롭지 않다는 것 인정!

처자들이 생화라면 난 드라이플라워인 걸로 하겠어!'

향은 잃었을지 몰라도

오래도록 본연의 색과 아름다움을 간직하는

드라이플라워 정도는 되어야겠다.

인위적인 조화가 아니라

과거의 아름다웠던 생명력을 내어주고 빛을 발하는

드라이플라워 정도는 되는 여자로 살아야겠다.

나는 여전히 8사이즈의 유니폼을 입고

다시는 4사이즈로 돌아갈 수 없지만

생명을 만들어 낸 존재 아닌가.

그 어마어마한 기적을 내가 해냈다.

이보다 더 존중 받아 마땅한 매력이 어디 있을까.

내게 충만하던 향기를 내어 나의 아이에게 선물하고

나는 나의 색과 아름다움을 간직하는

여자이자

엄마이자

영구화(永久花)로 살겠다.

잠시 나의 엄마로 살았던 당신에게

처음 아버지가 내 손을 이끌어 당신과 만났던 날을 기억합니다. 작은

피아노 학원에서 나에게 인사를 건넸었죠. 저는 지금 제 딸아이보다

한두 살 많은 나이였습니다.

"안녕, 피아노 배워볼래?"

작은 시골 마을에서 할머니 손에 자랐던 제게는 피아노가 내 눈앞에

있는 것마저 신기했습니다. 젊고 아름답고 현실감 없을 만큼 멋진 피

아노를 연주하던 당신이 참 빛나 보였습니다. 그렇게 당신을 선생님

이라 부르며 당신 집에서 살게 되었습니다. 8살이 된 나를 학교에 데

려다 주고 다시 또 하교 시간에 맞춰 나를 데려와 당신의 피아노 학

원에서 나에게 피아노를 가르쳐 주었습니다. 나를 돌보고 키운 것은

아버지가 아니라 당신이었지요. 어느 날부터 당신의 배도 내가 자라는 만큼 차오르고 있었습니다. 그렇게 당신은 나와 당신 아이의 엄마가 되었습니다.

같은 여자로서 당신을 이해하지 못합니다.

가난하고 폭언과 폭력을 일삼고 딸까지 있는 남자에게 무엇을 기대하여 인생을 맡기고 말았을까. 사랑이었을까요. 그렇다 하여도 이해하지 못합니다. 옆에서 지켜보는 나마저 괴로워지던 그 시간들을 지나도록 굳건할 수 있는 사랑이 세상 어디 있단 말입니까. 사랑은 아닐 테지요.

두려움이었을까요. 아버지의 폭언과 폭력이 당신을 숨죽이게 하고 말았을까요. 그렇다면 당신을 이해할 수 없던 나의 마음이 슬픔이 될 것 같습니다. 저 역시 아버지가 두려워 친엄마에 대한 그리움마저 숨기고 살아야 했으니 당신과 함께 슬퍼할 수 있을 것 같습니다.

여자로서 한 남자에게 사랑받고 의지하며 살 수 있는 것이 얼마나 큰 축복인지 알기에 그렇지 못했던 당신의 삶에 연민을 느낍니다.

같은 엄마가 되니 엄마로서 당신을 이해합니다.

저에게 사진처럼 선명히 자리 잡은 기억이 하나 있습니다. 당신의 첫 아이가 돌도 채 되지 않던 작은 아기였을 때 아이가 아파 함께 소아과에 갔었지요. 아기 한 명이 외출 할 때면 잠깐 나가는데도 챙겨야 할 짐이 참 많기도 합니다. 저 역시 아이를 낳아 외출할 때면 아이 짐 챙기느라 집 밖을 나서기도 전에 힘이 빠지곤 했습니다. 그날도 이것저것 잔뜩 든 가방을 들고 대기실에서 당신과 아이가 진료를 마치고 나오길 기다리고 있었습니다. 당신이 나오는 모습에 자리에서 일어서려는데 그때부터 조심성 없던 제 성격 탓에 가방에서 우르르 물건들이 쏟아져 나오고 말았고 당신은 나에게 날카롭게 소리치며 화를 냈습니다.

"젖꼭지 떨어져서 이제 못 쓰게 됐잖아!"

당신의 외침에 대기실에 있던 사람들이 일제히 저희를 쳐다보고 있었습니다. 어린 마음에 무안하고 창피해 얼굴까지 새빨개진 제 모습이 당신은 보이지 않았겠지요. 당신 아이를 먹일 수 없을까 걱정되어 화가 났으니까요.

그때 제가 아홉 살 정도였던 것 같습니다. 집으로 돌아가 제 방에서 몰래 울었습니다. 우는 모습을 들키면 또 혼날 것 같아 소리도 내지 않고 몰래 울었습니다.

당신과 사는 동안 이런 일은 자주 있었습니다. 때로는 친구처럼 잘 지내기도 했지만 당신에게 둘째 아이가 생기면서 어쩔 수 없이 더 자주 생기곤 했지요.

시간이 흘러 익숙해지고 저 역시 자라면서 그럭저럭 견디는 게 괜찮아져 갔습니다. 어쩌다 한 번 다정한 아버지의 모습에 기대어 당신이 살 듯, 나 역시 어쩌다 한 번 당신과 잘 지냈던 날들에 기대어 살았습니다.

저를 많이도 서럽게 했던 당신의 모성을 이제는 이해합니다. 첫 아이를 낳은 여자의 몸과 마음이 어떠한지 이제는 알기 때문입니다. 하루에도 몇 번씩 화가 올라오는 호르몬의 장난을 아홉 살 아이가 알았을 리가 없지요. 아기가 입에 대는 것들은 모두 세정제도 순한 것으로 골라 닦고 뜨거운 물에 살균하여 잘 말린 후에나 사용하는 것을 그땐 몰랐습니다. 그리고 내 몸에서 자라 세상 밖으로 나온 '내 자식'을 바라보는 그 절대적인 감정을 이제야 알아 당신을 이해합니다.

어느 날 덜컥 집에 찾아와 온 가족의 관심을 받고 사랑받는 당신의 아이를 보며 부러움에 투정부리는 '남의 자식'이 불편하고 언짢았을 것을 이제는 압니다. 제 아이를 낳고 보니 저 역시 당신처럼 그랬을 것 같습니다.

그리고,
당신은 너무나 어렸습니다.
스물일곱. 나의 스물일곱을 돌이켜 보니 당신에게 더욱 연민이 깊어집니다. 마흔이 가까워지는 나이에도 이리 철없는 나를 바라보며 스물일곱의 당신에게 연민을 느낍니다.

그 어린 나이에 아이를 낳고, 남의 자식까지 키우며 당신을 참 많이도 아프게 했던 남자와 살아야 했던 당신의 삶에 연민을 느낍니다.
그렇기에 이제 당신을 원망하지 않습니다.
당신의 모성으로 인해 서글펐던 저의 어린 시절이 아프지 않습니다.
.

엄마라서 어쩔 수 없었던 당신을 이해합니다.

그러니 부디 당신도 이제 행복하시길 기도합니다.

당신의 목숨 같은 두 아이가 어떤 모습으로든 잘 되어 잘 살기를

진심으로 기도합니다.

에필로그

결혼식 날 나는 참 많이도 울었다.

천륜을 끊어 벌을 받더라도 사람답게 살고 싶은 나의 모진 마음이 아버지와 인연을 끊고 고아로 살 것을 선택하였고 나의 결혼식은 신부 측 가족과 친척 한 명 없는 결혼식이 되었다. 다행히도 결혼식 전 친엄마와 연락이 닿아 친엄마 홀로 혼주석을 채워주었다.

식을 마치고 사진 촬영이 시작되었고 미처 내 사정을 전해 듣지 못한 사진작가가 양가 친척들 사진촬영을 하겠다는 외침에 남편의 친척들이 자연스럽게 남편 쪽으로 자리를 채워 서기 시작했다. 그러다 보니 내 쪽 자리가 휑하니 비어 그 모습을 보며 또 가슴 한 구석에 커다란 구멍이 뚫려 공허한 바람이 드나드는 듯 서러움에 눈물이 차올랐다. 애써 눈물을 참으려 애쓰는데 친구들이 우르르 몰려와 내 쪽을 채워 서는

것이 아닌가. 나의 사정을 아는 친구들이 양가 친척 사진 찍는 때를

맞춰 기다렸다가 자리를 채워주었다. 내 사정을 잘 아는 남편의 친구

몇 명 역시 내 곁에 서며,

"우리가 삼촌이야, 울지 마."라고 말해주는 바람에

나는 결국 또 눈물을 쏟아내고 말았다.

돌이켜 보니 나 혼자 견뎌냈던 것은 아무것도 없었다. 모든 순간 내

곁을 지켜주는 고마운 사람들이 있었다. 그 모든 것을 이해하고 나를

받아 주신 시부모님과, 남편과 그리고 비로소 나의 행복을 완성해 준

나의 아이. 힘든 순간 나의 곁을 지켜주며 함께 울어줬던 친구들, 함

께 일하며 나를 성장하게 도와 준 동료들. 이 모든 사람들이 나에겐

너무나 과분한 행운이었다.

힘든 시간을 겪어내며 왜 나한테만 이런 일이 생기는 걸까 대상 없는

원망을 쏟아냈었다. 그러나 지나고 보니 힘들었던 그 순간들이 결국은,

지금의 나를 지지해 주는 버팀목이 되어, 예고 없이 불현듯 또다시 찾

아 드는 삶의 힘든 순간들을 흔들림 없는 모습으로 지나칠 수 있도록

해주고 있다.

내가 살아 낸 시간들 중 단 한 순간도 나에게 허투루 지나간 시간은 없었다. 힘든 시간을 겪어내는 동안 나는 단단한 사람으로 단련되었고, 후에 맞이한 행복한 순간들은 나를 따뜻하게 위로하고 안아주었다.

 나는 비로소 황량했던 내 마음 누일 곳을 찾아내었다. 이제는 예전만큼 산다는 것이 두렵지 않다. 결국 내가 견뎌내고 다시 스스로 설 수 있음을 확신하기 때문이다.

 다행스럽게도 나는 이제 겨우 서른다섯 해를 살았을 뿐이다. 아흔다섯이 아닌 서른다섯이라는 나이에 사랑받고, 사랑하는 법을 알게 되었다. 한때 나를 초라하게 하던, 그저 사랑만 받아 자체로 빛나보이던 사람들 앞에서 내가 느끼던 열등감과 자격지심을 이제는 스스로 보듬어 다독일 줄 알게 되었다.
 못났던 나를 인정한다. 그마저도 내가 지나온 나의 흔적이기에 애써 지우려 하지도 않겠다. 덕분에 살아가는 시간 면면이 때로는 비루하고 많이도 아플 수 있음을 알기에 오히려 예측할 수 없는 내일이 불안하기보다는 설렌다.

그래, 까짓거 아프고 힘들 수 있겠지. 코앞까지 시련이 닥치면 그때 생각하자. 걱정으로 흘려보내기에는 내 곁에 잠든 아이의 새근거림이 너무나 아련하고, 내일 또 걷게 될 하늘길이 나를 이다지도 달뜨게 하기에….

말 린 꽃

2020년 7월 15일 초판 1쇄 발행
2020년 7월 30일 초판 2쇄 발행

글	조윤서
펴낸이	티아고워드Tiago Word
펴낸곳	출판문화 예술그룹 젤리판다
출판등록	2017년 3월 14일(제2017-000033호)
주소	서울시 영등포구 경인로 775 에이스하이테크시티 1동 803호
전화	070-7434-0320
팩스	02-2678-9128
블로그	blog.naver.com/jellypanda
인스타그램	@publisherjellypanda
책임총괄	홍승훈Craig H. Mcklein
기획편집	권현주 이다혜
마케팅	우제성
디자인	바람의 언덕

ISBN	979-11-90510-13-4 (03800)
정가	16,000